Collection Autres Rives

Données de catalogage avant publication (Canada)

Etienne, Gérard, 1936-

    Vous n'êtes pas seul

    (Collection Autres Rives)

    ISBN 2-921468-70-0

    I. Titre. II. Collection

PS8559.T54V68 2001   C843'.54 C2001-940495-6
PS9559.T54V682001
PQ3919.2.E84V68 2001

© Illustration de la couverture : Laurent Lavaill

© Les Éditions Balzac, 2001
4402, rue St-Hubert
Montréal, Québec, Canada
H2J 2W8

Dépôt légal - 2ᵉ trimestre 2001
Bibliothèque nationale du Québec
ISBN 2-921468-70-0

Cet ouvrage a été subventionné en partie par le Conseil des Arts du Canada et la SODEC.

Le Conseil des Arts du Canada DEPUIS 1957 | The Canada Council for the Arts since 1957

Nous reconnaissons l'aide financière du gouvernement du Canada par l'entremise du Programme d'Aide au Développement de l'Industrie de l'Édition pour nos activités d'édition.

Vous n'êtes pas seul

Gérard Étienne

Vous n'êtes pas seul

Balzac éditeur

Montréal • Paris

DU MÊME AUTEUR

Au milieu des larmes, Port-au-Prince, Togiram Presse, 1960, épuisé.

Plus large qu'un rêve, Port-au-Prince, Imprimerie Dorsainvil, 1960, épuisé.

La raison et mon amour, Port-au-Prince, Les Presses port-au-princiennes, 1961, épuisé.

Essai sur la négritude, Port-au-Prince, Panorama, 1962, épuisé.

Gladys, Port-au-Prince, Panorama, 1963, épuisé.

Lettre à Montréal, Montréal, l'Estérel, 1965, épuisé.

Dialogue avec mon ombre, Montréal, Éditions francophones du Canada, 1972, épuisé.

Le Nègre crucifié, Montréal, Éditions francophones/Nouvelle Optique, 1974, 2ᵉ édition, revue et corrigée, Genève, Métropolis, 1989; 3ᵉ édition, revue et corrigée, Montréal, Les Éditions Balzac, 1994.

Un ambassadeur macoute à Montréal, Montréal, Nouvelle Optique, 1980.

Cri pour ne pas crever de honte, Montréal, Nouvelle Optique, 1982.

Une femme muette, Montréal, Nouvelle Optique, 1983, Paris, Silex, 1983.

La Reine soleil levée, Montréal, Guérin littérature, 1987 et Genève, Métropolis, 1989.

La Pacotille, Montréal, L'Hexagone, 1991.

La Charte des crépuscules, Moncton, Éditions d'Acadie, 1993.

La question raciale et raciste dans le roman québécois, Montréal, Les Éditions Balzac, 1994.

La femme noire dans le discours littéraire haïtien, Montréal, Balzac-Le Griot éditeur (Montréal-Paris), 1998.

Le Bacoulou, Genève, Métropolis, 1998.

L'injustice/la désinformation. Le mépris de la loi au Québec, Montréal, Humanitas, 1998.

La romance en do mineur de Maître Clo, Montréal, Balzac éditeur (Montréal-Paris), 1999.

TRADUCTIONS:

Uma Mulher Calada, Rio Grande del Sol, Éditions Da Universidade, 1987.

A Shapely Fire, New-York-Londres, Mosaic Press, 1987.

Der Aufstand Der Sonnenkönigin, Hanovre, Shönbach, Verlag, 1990.

Eying for the North Star, George Eliott Clark, Keith Walker, McCleland Stuart.

Fiery Spirit, Ayanna Black, Keith Walker, Harper Collins.

I

Un temps de cendres noires, de frissons, de palpitations. Un temps qui vous rend affolé tel un nid de guêpes touché par une torche enflammée. Un temps qui vous étreint à la gorge. Qui vous fait plier, trembler, grincer des dents en vous clouant à une espèce de brasier dans lequel vous tournez en rond, sans espoir de trouver un moyen pour rentrer à la maison. On se bouscule, on se presse, on court à perdre haleine, comme des explorateurs de forêts dont la témérité lors du déchaînement des forces de la nature leur a coûté la vie.

Oui. Dans quelques instants, le monstre va encore frapper. Le monstre que rien ne peut arrêter quand il a décidé de larguer ses larves sur un monde sans défense. Le monstre, cette deuxième tempête de neige, en une semaine, qui dévore le monde avec une telle fureur qu'on aimerait voir surgir de quelque coin de la ville un esprit audacieux capable de court-circuiter les catastrophes naturelles qui rendent la vie difficile aux enfants du Bon Dieu! Dans l'espace d'une heure le vent se met à déraciner des arbres, à vider la ville de tout ce qui lui donne des airs de grande princesse quand un soleil d'été encourage une hirondelle à faire des sauts de chat sur la jupe écossaise d'une demoiselle au Parc Dumas. Et agonisent les lumières des lampadaires, alors que les pompiers s'apprêtent à maîtriser un sinistre produit par les décharges nerveuses d'un ciel aujourd'hui en colère.

Renversé plusieurs fois par le vent, le corps sur le point d'être gelé, il est quand même parvenu à destination, malgré un choc qui le secoue. Verrouillées les portes du garage abandonné où il trouvait un coin pour passer la nuit. Brèves réflexions. Il se demande si ce mauvais coup n'est pas l'œuvre d'un cynique policier, voire d'un malveillant vagabond, d'un démon de son pays qui continue à lui faire la vie dure, avec son visage hideux, ses dents pointues, ses mains calleuses, son souffle d'animal sauvage.

Il jette un méprisant regard sur une porte latérale. À sa droite un mur à crever, à traverser à la manière d'un vilebrequin. Alors, il exploite les dernières forces qui lui restent après plus d'une heure de marche forcée, de titubation. Il pousse, pousse de ses mains, de ses pieds, dans le but de faire sauter le verrou. Il cogne, cogne contre la porte de manière à la faire céder. L'obstacle auquel il se heurte devient de plus en plus insurmontable à mesure que les bourrasques l'aveuglent, l'assourdissent, que le corps perd l'énergie nécessaire à l'affrontement du monstre.

Alors, il faut faire volte-face, recommencer, ce qui le renvoie aux chemins de croix de son enfance. Il aimerait rentrer dans le ventre du monstre, devenir une fusée qui serait capable de le réduire à néant, ce monstre que nul n'aurait pu lui décrire quand il débarqua à Chanterelle un bel après-midi d'été. Il aimerait l'affronter de la même façon que les coupeurs de bois qui échappent à ses griffes. Alors, il faut foncer, sans savoir où l'on va, sans même pouvoir se diriger à travers des masses d'étincelles pulvérisant les dernières feuilles de l'automne.

Il fait noir. S'éreinte la ville sous la neige qui fait partout des monticules. Seules des voitures immobilisées, du monde courageux mais complètement vidé rappellent qu'il n'y a pas longtemps la vie bourdonnait de ce côté de la planète. Propulsé par on ne sait quelle force, Jacques parvient à traverser les bandes de neige, tantôt le ventre au sol, les membres repliés, tantôt à petits pas. Le clochard est à bout de souffle. Peu s'en faut que la neige avale ses souliers crottés, que le froid rogne, jusqu'à l'os, une chair protégée par un veston qu'il a piqué hier soir dans une voiture et qui laisse voir des bretelles en forme de petites cordes de sisal. De ses mains complètement gelées, Jacques peut quand même retirer son chapeau rond, défoncé, dont le rebord dissimule plus ou moins un visage sur lequel s'abattent des bourrasques.

Au fond, ça fait quarante-huit heures que Jacques a pris le large, évadé d'un établissement hospitalier où l'on tente de le soigner, depuis un an, d'une maladie mentale. Ramassé un soir sur la rue Foucault, coin Badelaine, presque sans connaissance, l'homme a été transporté à Sainte-Anne. Personne n'a été capable de lui soutirer un seul mot sur son identité. Bien sûr que les longues tirades de *Phèdre* débitées dans son délire ont permis aux médecins qui s'en occupaient d'avoir une idée approximative sur le type de clochard, pas du tout imbécile qu'il est. Sauf qu'on n'arrivait pas à le situer dans les couches sociales de la ville. Aussi, l'a-t-on laissé languir dans une chambre en le bourrant de pilules afin de neutraliser ses crises pulsionnelles.

Ce matin-là, bénéficiant d'un peu d'éclaircies dans son esprit ténébreux, Jacques a décidé de foutre le camp, convaincu qu'il venait d'assassiner quelqu'un. Aussi doit-il rechercher un endroit pour échapper aux limiers qui seraient à ses trousses, sous les ordres des autorités de l'hôpital. L'homme n'en peut plus. Il commence à éprouver des vertiges. Saignant de la lèvre inférieure, il parvient assez péniblement au coin de Vigny-Bonsecours à l'immeuble où il a passé la première nuit de son évasion derrière une vieille armoire. Il pousse, de son dos, la porte d'entrée. Les mains ainsi que les jambes complètement gelées, paralysées. Ne pouvant descendre l'escalier conduisant au garage, il se recroqueville au bord de la rampe, juste en face d'un appartement d'où lui parviennent, tels des échos lointains, les sons d'une voix.

Il respire, mais d'une respiration qui paraît faible, prête à s'éteindre. Il essaie de bouger son corps pour approcher de la porte. L'immeuble lui-même donne l'impression d'un cimetière sous une pluie de feu. La force du vent, à l'extérieur, fait bouger une affiche accrochée au mur, juste au-dessus de sa tête. Jacques n'a pas encore tout à fait perdu son bon ange. Le besoin d'avoir des rapports avec une personne, d'entrer quelque part demeure un signe de lucidité quelconque. Oui. La présence d'une forme humaine qui pourrait revigorer sa vieille carcasse, s'approcher, très loin du territoire de la meute des loups à ses trousses. Oui. Une présence humaine, différente des présences jusqu'ici affrontées; une présence dépouillée de tout indice de pouvoir sur un jeune homme lâché dans un espace hostile, pense-t-il, à la poésie.

Il s'efforce de contracter ses muscles dans l'espoir de se libérer de la paralysie, ses pieds, ses jambes, ses mains. Une voix dans l'appartement se fait entendre, plus forte, plus claire. On dirait, croit l'homme, qu'elle veut blesser son orgueil, le narguer, le provoquer, lui faire sentir la présence, à quelques mètres de lui, d'un être humain cependant incapable de lui tendre la main. S'il pouvait répondre à cette vibration par quelques gammes, même rauques, même fausses, il attirerait peut-être l'attention sur lui. Non. Ses cordes vocales sont aussi bloquées. L'espoir, malgré tout, l'empêche de céder au vide, au néant, l'espoir de répondre à la voix qui envahit peu à peu le couloir du deuxième étage.

II

Elle est rentrée désespérée, hors d'elle-même. Moins pour cette sacrée tempête qui ne lui a pas laissé le temps de faire un tour chez l'épicier, que pour la situation au bureau qu'elle juge intolérable, étouffante. Même une employée subalterne la boude et sa secrétaire ne lui rend pas les choses faciles. Tout a commencé le jour où Pierre Maquis l'a invitée à faire partie d'une secte qui œuvrait dans la clandestinité. Elle avait fait carrément comprendre à son collègue qu'elle était arrivée à un moment de sa vie où les questions religieuses ne lui disaient plus rien. Un mois plus tard, il était revenu à la charge avec d'autres moyens de persuasion. La secte en question, laissait-il entendre, entretenait d'excellents rapports avec la faune politique, d'où l'urgence d'y militer. Elle lui avait signifié une deuxième fois son refus. Pire: elle ne pouvait pardonner à Pierre Maquis, surtout qu'il s'était gardé d'approcher les autres femmes. Elle s'était sentie blessée dans son orgueil, jugeant que l'homme n'avait jamais eu d'égards pour elle, qu'il la considérait comme une marionnette. D'ailleurs l'attitude du sous-directeur envers les autres femmes du bureau confirmait l'arrogance de l'homme à son égard. À certaines heures, elle le percevait tel un bon petit chien aux pieds des Louise Lafleur, des Ghislaine Hugo et des Maryse Bouchard.

Rien qu'en élevant la voix, ces femmes font de monsieur une poule mouillée qu'elles méprisent durant la semaine; il revient les lundis avec un pot de fleurs sur le bureau de chacune. Qu'elles lui fassent des reproches sur la manière de s'habiller, sur son petit air guindé, il courbe toujours l'échine et va chez lui changer de vêtements pour répondre au goût de ces dames.

Tout autre chose en ce qui la concerne. On dirait que Pierre Maquis veut se venger de la façon dont les femmes le traitent en le menant rudement, tel un homme sans caractère.

La goutte d'eau qui a fait déborder la casserole ce matin, c'est une carte de parti politique qu'il a mise sur son bureau. Il l'avait abordée, à plusieurs reprises, l'invitant à devenir membre du Parti, non sans lui avoir fait miroiter les avantages qu'elle pourrait en tirer: possibilité d'obtenir une promotion, de devenir attachée de presse ou secrétaire exécutive du Premier ministre si le parti devait gagner les prochaines élections. Elle lui lançait toujours la même réponse. La politique, disait-elle, ne l'intéressait pas. Pas pour la chose en elle-même. «Si vous ne faites pas de politique, soutenait son ancien professeur d'histoire, c'est la politique qui vous fait. » Non. La raison, c'est que l'organisation politique du parti la dégoûte. D'après elle, le Parti a radicalement changé son orientation idéologique. Le parti populaire dont le programme portait sur la création des emplois ainsi que sur le bien-être de la classe des démunis, est devenu la propriété d'un groupe d'opportunistes d'une petite bourgeoisie, déguisés en fervents militants. Pour elle, un petit bourgeois demeure un petit bourgeois, avec son cœur dans la zone des riches et ses pieds dans les sales quartiers de Saint-Jacques le Majeur. Il est, pense-t-elle, impossible de changer de carapace du jour au lendemain.

Tel est aussi l'avis de son oncle Pierre-Joseph Lafayette, avocat très connu de la ville qui a assuré la défense d'un groupe de révolutionnaires qui, lors d'une grève des réalisateurs de Radio-Nationale, grève matée par la police, ont fait sauter une banque au carré Louverture. Dans un journal syndical, cet oncle déclarait que le pays n'allait nulle part entre les mains des bourgeois dont la seule ambition était de remplacer la progéniture des puissants. En aucun temps, poursuivait-il, a-t-on vu dans l'histoire du monde une classe sociale s'effacer de la scène politique au profit d'une autre classe sociale. Non, écrivait l'oncle Pierre-Joseph. En prenant la direction du parti, les bourgeois font un mauvais coup aux vrais patriotes, entendez les descendants directs des domestiques des protégés du roi, non pas des familles qui produisent des salauds qui se foutent éperdument de la pauvreté des sans-voix du peuple. Toujours, selon son oncle, si le développement du pays devait se faire par des aristocrates, des bourgeois convertis en nationalistes révolutionnaires, on assisterait à la formation d'un gouvernement plus réactionnaire que celui qui est dénoncé et combattu, parce que les véritables buts des grands ténors du Parti visent à débarrasser le territoire de toutes les personnes non inscrites dans les registres religieux.

C'est ce qui l'avait incitée à prendre ses distances à l'endroit du Parti. Elle, la première à implanter des cellules politiques au collège André-Breton. On était, avait-elle dit à Pierre Maquis, une poignée à l'époque. On faisait du bon travail, alors qu'aujourd'hui le parti agonise avec pourtant des milliers de membres aliénés et des millions à la banque.

Elle a eu beau lui exposer les raisons de son refus d'adhérer au Parti, celui-ci s'en moque totalement. Les mêmes pressions revenaient à chaque fois qu'ils se croisaient, qu'ils se rencontraient au bistrot du coin. Ne pouvant plus tolérer ce harcèlement, pire, ce qu'elle considère un matraquage de la part de Pierre, elle avait glissé un mot à son patron.

— Ne vous occupez pas de Pierre, avait-il laissé tomber sur un ton méprisant, ironique. Il tranche toujours du Seigneur, de l'important. C'est un vrai aristocrate.

Le patron avait tellement fait l'éloge de Pierre qu'elle s'était sentie humiliée, pareille à une braillarde qui aurait aimé faire payer aux autres le prix des tourments qui l'accablent. D'autant plus que l'attitude des autres femmes du bureau démontre un tout autre comportement. Le fait qu'il obéisse aux ordres des bonnes femmes, qu'il cède à leurs caprices, qu'il fasse tout pour trouver grâce devant elles l'amène à se tenir constamment sur la défensive.

III

Carmen est allée s'enfermer dans sa chambre, à peine entrée à la maison. Le regard perdu au plafond, l'esprit, on dirait, dans un autre siècle. Elle voudrait dormir un peu afin de compenser par un petit somme les rêves cauchemardesques de la nuit dernière. Le monde du bureau la tenaille et lui fait mal. Il ne lui donne aucun répit dans cette espèce de dégoût de soi-même qu'on ressent lorsqu'on accepte d'évoluer dans un espace hostile à sa façon de voir le monde, lorsqu'on accepte de côtoyer des personnes pour lesquelles on n'éprouve aucun sentiment d'amitié, de solidarité. On a l'impression qu'elle vient d'attraper une méchante maladie tellement elle se gratte de la tête aux pieds, tellement elle devient rouge de colère, sur le point d'exploser. La radio n'annonce aucun changement de température pour les deux prochains jours. Seule une chanson de Petit-Clair semble, pour l'instant, atténuer ses tensions. Elle allume une cigarette dont la fumée se marie aux ombres de la chambre. Soudain, un coup de téléphone.

— Allo, oui Marie-France. Écoute. Je ne sais vraiment pas. J'ai voulu réagir à cette injustice. Tu le sais bien. Ce n'est pas encore le moment. Le représentant syndical m'a conseillé de continuer à prendre ou accuser les coups en attendant la présentation d'une plainte au comité d'éthique. Imagine, Marie-France. Je suis la dernière qui a été autorisée à quitter le bureau, malgré l'annonce de la tempête!... Que non! Il me donne l'impression d'un cynique qui calcule à la perfection ses mauvais coups. Je pense qu'il veut me garder sous ses griffes, quitte à risquer lui-même sa peau. Bien sûr que la tempête ne l'a pas épargné. Pas un cadeau quand même le trajet du centre-ville à mon quartier. Oh non! Je parie qu'il sera le premier à se montrer au bureau demain matin. D'ailleurs, ce n'est pas la première fois qu'il se comporte en loup affamé. On dirait que ce monsieur possède le don de passer à travers des séismes pour me faire la vie dure. Tiens! Tu te rappelles du sinistre qui avait ravagé sa maison? Je me disais que cela allait l'affecter, que j'allais avoir la paix au moins pour deux jours. J'ai été saisie le lendemain. Coup de téléphone de Monsieur. J'avais le sentiment qu'il allait éclater, tellement gonflé dans son fauteuil, cigare au bec, sa plume d'or faisant des cercles sur un bout de papier. Il me parlait avec une telle aisance que personne n'aurait pensé qu'il venait d'être victime d'une catastrophe. Sans aucun doute. Tu te rappelles du garçon qu'on avait rencontré au Club. Il m'avait, en quelques mots, tracé le curriculum du bâtard. Oui. L'éminence grise du Premier ministre. Nul ne peut le déloger de son poste. Pas même son patron immédiat qui n'aime pas sa gueule. Évidemment, c'est son petit protégé. D'après mes renseignements, il n'avait même pas réussi le concours. Comment? Je le crois. Ce n'est pas pour rien qu'on me harcèle. Ça fait partie de leur plan. Ah, ça non! Jamais ce parti n'enregistrera mon adhésion dans de pareilles conditions. Jamais. Si c'est la seule façon de garder un emploi, alors qu'on me foute à la porte... Rien, Marie-France, rien. Elles en sont plutôt les complices. Tu comprends maintenant mes réserves. Ça parle de féminisme à longueur de journée alors qu'elles sont les premières à nous bouffer. Ah non, Marie-France, je le regrette. Les femmes ne s'entraident pas, elles ne s'aiment pas. Sinon, ça fait longtemps qu'on aurait eu raison de ces enfants du démon. Oh oui! C'est le cas de le dire. J'ai peur. Vraiment j'ai peur. Je ne sais pas. D'une maladie, d'une dépression nerveuse, d'une crise cardiaque surtout avec les palpitations qui n'arrêtent pas. Seigneur! je n'en peux plus. Non. Pas de nouvelles. Elle serait, dit-on, kidnappée par son mari. Non. Cela n'a rien à voir avec mes idées sur le féminisme. J'appelle un chat un chat. Empoigner une femme au collet, sans son consentement, la flanquer dans une voiture, sans son consentement, l'emmener de force dans un chalet où elle est coupée de son monde, c'est du kidnapping. Je regrette, il n'a pas le droit. D'accord. Le féminisme demeure une idéologie. Pour moi la femme passe avant l'idéologie. Au début, je ne voulais pas m'en mêler. Je me disais que c'était une affaire de couple qui doit se régler d'abord par la communication, ensuite par la négociation d'un nouveau contrat. J'ai finalement décidé d'en parler à Maître Lucien Ménard. Pas de réponse. Quant à la police, elle refuse de s'en mêler, arguant qu'il n'y a pas eu de voies de fait. Oui, Marie-France. On attend du sang avant d'intervenir. Oui. Aussi longtemps qu'on accepte l'idée de se disputer avec un homme, on n'a pas le droit de gueuler pour l'émancipation de la femme. Oui. Je les ai croisés chez Pantella samedi dernier. Elle dans son tailleur assez bien coupé. Lui dans son habituel veston de cuir. On aurait dit deux jeunes premiers fraîchement sortis de scène. Je voulais passer inaperçue. Malheureusement, il m'a remarquée au moment où j'allais partir. Mon Dieu! J'ai lu dans ses yeux toute la haine que peut avoir un homme pour une femme qui ne veut plus de lui. Tu te trompes, Marie-France. Je refuse d'être la mère de ce type. Notre conception de la vie est trop différente. Le bureau, j'en ferai mon affaire, aussi férocement qu'une lionne.

IV

Moment de détente après ce long dialogue au téléphone. Il en est toujours ainsi à la suite d'une conversation avec Marie-France. De toutes les amies d'enfance, elle est la seule qui lui soit restée fidèle, malgré leurs divergences sur certaines questions d'ordre éthique, politique et social. Autant Carmen ne veut pas entendre parler de parti politique qui veut faire des compromis avec ce qu'elle considère comme des formations bourgeoises, autant Carmen stigmatise ce qu'elle appelle des politiciens vendus au pouvoir de l'argent, à une caste de gros bonnets qui contrôlent, sur tous les plans, l'environnement, autant Marie-France reste indifférente au brassage des idées politiques au pays. Pour elle, le monde serait plus vivable s'il n'y avait pas des individus qui inoculent aux autres, sous la forme de nationalisme, leurs propres frustrations, leur propre sentiment d'échec, leur propre complexe d'infériorité vis-à-vis des personnes qui ont réussi. À chaque fois qu'elle a avec sa copine une discussion sur la politique, ça se termine toujours par une grosse engueulade. Encore tout dernièrement, elles ont failli s'entre-déchirer, n'eût été la médiation de l'amant de Marie-France. À une sévère réflexion sur un dirigeant politique populaire, Carmen répliquait :

— Tu ne comprends rien à la politique, tous des démagogues, les défenseurs de la sainte patrie, de la langue, des algues de nos rivières. Derrière la dénonciation du pouvoir des autres se cache leur macabre projet de faire de nous des individus enfermés dans une cage. Bien sûr que moi aussi j'aime ma langue, la façon dont une tête est bien remplie, la manière de vivre la vie avec des personnes qui ont le même sang que moi. Seulement, je refuse d'être la complexée qui a peur des autres, qui tremble dans sa culotte à la vue de personnes de couleur différente au centre-ville, sous prétexte que cela peut affecter la langue, la manière d'être et de penser.

Jusqu'à présent, Carmen n'arrive pas à digérer la position politique de Marie-France. Elle a la même attitude vis-à-vis de la vie sentimentale de son amie. Si Carmen a peur des hommes, Marie-France, elle, en mange. «J'approuverais les choix de Marie-France si les hommes choisis étaient à sa hauteur, disait Carmen à une amie commune. De mémoire de femme, poursuivait-elle, je n'ai jamais rencontré chez Marie-France un type dont le tempérament inspire le respect. Toujours le même physique: des hommes gros, musclés, qui vous donnent l'impression d'être là, au service de Madame, parce qu'ils sont bien logés, nourris, parfois bien payés. Des hommes pleins d'eux-mêmes qui affichent leur air gigolo sans aucun scrupule, qui pensent être aussi capables de faire la conquête de toutes les femmes. Ce qui n'arrange jamais les choses, continuait Carmen, ce sont les sentiments de répulsion de ces hommes-là à l'endroit de ceux qui ne sont pas de leur race. » Elle en veut pour preuve le dernier matou croisé chez Marie-France. Celui-ci avait lancé un flot d'ordures au propriétaire du café Bon Repos, un Mauricien immigré au pays et devenu en peu de temps un riche commerçant. Que dire, ajoutait Carmen, du portrait intellectuel des hommes de Marie-France. Ils sont ignares, lançait-elle, incapables de faire une bonne phrase, voire de soutenir une bonne discussion. On se fait vraiment avoir par leur apparence. «Des Apollon, disait-elle, au langage désarticulé, invertébré.» Elle ne peut oublier un mot lâché par Marie-France en réponse à une observation sur le genre de garçon qu'elle amène chez elle.

— Je foutrais dans mon lit, si j'étais capable, tous les hommes cueillis sur mon passage, excepté ceux qui viennent d'un autre pays.

Pour une femme entièrement aux hommes, cette restriction avait intrigué Carmen. Elle s'était demandée si, derrière le libéralisme de son amie, il n'y avait pas quelque chose qui renvoie au rejet des autres à cause tout simplement de leur différence. Toutefois, ne voulant pas enfoncer davantage le couteau dans la plaie, elle s'était gardée de la contrarier, contrairement à ses habitudes.

Cependant, malgré leurs traits de tempérament qui s'opposent parfois de façon radicale sur des sujets de fond, Carmen n'arrive pas à prendre ses distances. À une amie d'enfance, elle avouait tout dernièrement qu'elle enviait Marie-France à cause de son audace, de la manière dont elle mange les hommes, de la façon libertine dont elle conçoit l'existence.

— Je dois me garder, avait admis Carmen, de condamner une femme qui se fout aussi bien de la morale sociale que des valeurs imposées par des institutions non représentatives de tous les courants culturels identifiés dans une société. Oui, la conduite de Marie-France peut me dégoûter. Cependant rien n'empêche

que la femme en moi puisse cacher la pire diablesse
du pays, la pire des hypocrites, celle qui agirait de la
même manière que Marie-France si elle était vraiment
libre d'obéir à ses pulsions.

V

Dehors gronde le vent, si fortement que Carmen a l'impression, même à l'intérieur, d'être ballottée. Elle tremble toujours de peur lorsque cette machine infernale détruit tout sur son passage. Elle jette un bref coup d'œil à l'extérieur. Les dégâts sont considérables: voitures renversées, toits des maisons arrachés, poteaux électriques sur le trottoir d'en face, un prélude d'apocalypse, quoi. Soudain, elle entend un bruit à la porte, un peu sourd, à intervalles un peu longs. Elle n'y prête pas attention, pensant qu'il s'agit de quelque objet poussé par le vent qui cogne contre la porte de l'appartement. À peine va-t-elle se servir un café que le bruit recommence, avec plus d'intensité et de sonorité. Alors, en proie à une vive émotion, des sueurs froides inondent cette fois-ci son visage. Cinq, dix, quinze minutes. Le bruit recommence. Il donne à Carmen l'impression d'un objet, d'une masse informe qui vient mourir aux pieds d'un obstacle, comme une petite vague contre le rocher, comme le bruit d'une source. Carmen prend son courage à deux mains. Elle ouvre la porte.

Elle se met à trembler, à claquer des dents. Elle découvre devant sa porte un homme inerte d'une trentaine d'années. Carmen veut le toucher. Elle hésite. Une foule d'idées traversent son esprit en l'espace de quelques secondes: un type recherché par la police qui aurait trouvé refuge dans l'immeuble ; un homme à demi mort qu'elle aurait elle-même achevé. La police parlerait d'un assassin qui aurait atterri dans un immeuble avec l'intention de dévorer des femmes qui vivent seules. Carmen veut céder à sa curiosité. Non. Elle s'imagine un énergumène déguisé en clochard. Au seuil de la porte, elle essaie de liquider ses idées noires en se représentant plutôt un homme pareil à bien d'autres, abandonné à son triste sort, les membres du corps ankylosés, les yeux saignants, la bouche fendue par le froid. Au rythme de sa respiration qui semble diminuer de plus en plus, sa voix lance de petits râles semblables à ceux d'un mourant. Sa décision est prise: elle abritera chez elle ce moribond, quitte à soulever la colère de quelque autorité, à se faire complice d'un vagabond qu'elle n'a jamais vu auparavant. Marie-France surgit au moment où Carmen commence à tirer vers elle l'individu.

— Qu'est-ce que c'est que ça? demande Marie-France.

— Je te jure, je te jure, répond Carmen.

La figure de Marie-France devient blême. Les deux femmes se regardent, transies de peur. Elles semblent chercher des mots qui ne viennent pas. D'ordinaire si volubile, Marie-France ne fait que se taper la figure, en espérant trouver un moyen de résoudre ce brûlant problème. Carmen veut recommencer à tirer. Marie-France retient ses mains, jette un bref regard sur l'amie, un regard froid, presque accusateur. Se sentant atteinte dans son orgueil, Carmen explique :

— Oui. Je te jure. Je ne le connais pas. Je ne l'ai jamais rencontré. Je t'en aurais parlé. Je ne te cache rien. Tu me crois, n'est-ce pas? Je t'ai appelée. On s'est longuement parlé au téléphone. Je me suis mise à préparer le souper. Je t'attendais. La soupe est toute chaude encore. Tout à coup, j'entends un bruit à la porte, quelque chose sans importance au début. C'est devenu plus persistant. J'ai ouvert la porte et voilà.

Marie-France saute sur le téléphone et compose un numéro. Pas de réponse. Ses gestes deviennent plus nerveux et traduisent des signes d'impatience. Elle recompose le même numéro. Silence au bout du fil semblent indiquer ses coups de poing sur la table. Carmen se penche sur Jacques, avec beaucoup de compassion. Elle lui tâte le pouls; il respire, péniblement. Marie-France s'apprête à tirer les jambes de l'homme pour le placer près de l'escalier.

— Non, pas ça, crie Carmen, surtout pas ça.

Elle essaie de retrouver son souffle, pareille à une personne étranglée par une forte émotion.

Brèves réflexions de Marie-France. On a le sentiment qu'elle fait un effort afin de se mettre dans la peau de son amie. On la sent moins crispée, cependant déterminée à ne pas s'embarquer dans une folle aventure. Deux fois, elle a pris la direction de son appartement. Deux fois, elle a rebroussé chemin. Carmen tente de justifier sa position vis-à-vis de l'inconnu.

— Non, pas ça. Je ne pourrai jamais vivre avec un tel acte de lâcheté sur la conscience. Quelque chose sur ce visage semble m'adresser un langage plus près de l'innocence que de la violence. Oui. Regarde Marie-France. Pas possible qu'un tel visage signe des crimes. Faudrait-il alerter le concierge? Peut-être que...

Marie-France monte au deuxième étage alors que Carmen, avec une compresse d'eau chaude, essaie de ranimer l'inconnu, raide comme un bout de fer, froid comme un cadavre. Jacques ne bouge toujours pas.

Seuls de courts soupirs accompagnent des battements de paupières gonflées de larmes. Retour de Marie-France, déçue de n'avoir pas trouvé le concierge. Son regard amical se fixe sur Carmen qui continue son opération de réanimation. Marie-France essaie de garder son calme pour ne pas apeurer davantage son amie.

— On n'a pas le choix, dit Marie-France. Nous n'avons aucun moyen de connaître l'identité de cet individu. Peut-être maintenant, dans une heure, peut se produire l'inévitable: la mort. Il vaut mieux alerter la police si vraiment tu tiens à la vie de cet étranger.

— Avec une pareille tempête à laquelle rien ne résiste? crie Carmen. Non. Tu perds la tête. Le temps de l'emmener à l'hôpital, il rendra les derniers soupirs. Non. Nous allons attendre. Aide-moi à le mettre en-dedans.

— Tu te vois avec un cadavre? dit Marie-France, qui se sent de plus en plus incapable d'empêcher Carmen de s'occuper de Jacques. Tu te vois avec un cadavre dans un appartement, pendant des heures?

— J'expliquerai ce qui s'est passé, répond froidement Carmen.

— Tu ne feras croire à personne qu'un homme est entré chez toi de la même manière que l'Esprit saint a envahi la couche de la Vierge. Je vois déjà la tête des bonnes femmes de l'immeuble, des fouineurs du quartier, surtout celle des policiers qui, depuis quelque temps, s'en prennent aux Blanches dans les bras de ce type d'individus. Sans parler des journalistes dont le cynisme n'a d'égal que les forfaits des assassins. À la une demain matin du Journal des Sans-culottes: un homme de couleur, pardon de race noire, a été retrouvé mort dans l'appartement de Carmen Lavoie, comptable agréée au ministère des Affaires étrangères, nièce du ministre de l'Intérieur Armand Damien, de l'archevêque des Trois-Collines, Joseph Richemond. On lira dans les journaux le scénario classique. Elle sortait, depuis des années, avec un Blanc qui l'a plantée. Désespérée, elle a décidé de tenter sa chance avec un étranger. Elle n'a pas réussi. Malheureusement ce dernier a été fauché par une maladie tropicale, non identifiée. C'est courant, non, ce genre d'histoires dans la ville. Les petites aides au tiers-monde, ça te dit quelque chose? Oui. Voilà le titre qu'on nous donne lorsque, avec notre bonne foi, nous venons à la rescousse de ces étrangers qui atterrissent chez nous démunis, parfois sans carte d'identité. Nous les prenons en charge de la même manière qu'un frère, qu'un parent dans le besoin. Bien sûr que très souvent nous sommes prises avec nos propres contradictions en devenant leurs amies intimes, même si au départ il n'y avait rien chez eux pour inspirer l'amour. Ce cas-ci est évident. N'importe qui pourra reconstituer la scène: tes amis, tes parents, Monsieur le ministre, l'Archevêque, les policiers. J'entends déjà le réquisitoire. Ça fait longtemps, dirat-on, que cette femme vit seule. Alors, on en a assez de la solitude, on est désespérée, on traîne dans les clubs. Un soir, on tombe sur un serpent mourant; on le ramène à la vie, on le loge, le nourrit. Il devient une propriété convoitée plus tard par d'autres. Je ne veux pas t'influencer. Je ne te vois pas cependant avec un cadavre sur les bras.

— Je regrette, dit Carmen. Il n'est pas encore mort.

— Peut-être, réplique Marie-France. Excuse-moi. Je suis plus affolée que toi, apparemment. Il y a des responsabilités à ne pas prendre. En voulant sauver un individu de la mort, on court un grand risque : salir sa réputation, la réputation de tout un peuple, de tout le pays. On s'expose à connaître les pires humiliations à cause d'un manque de prudence. Je veux bien faire le bien. Pas au prix de ma réputation, de mon honneur. Je veux bien tendre la main aux autres. Pas au détriment de ma santé mentale. La charité, oui, la flagellation de soi, non. Moi aussi, je peux être prise dans quelque piège. Qui sait ce qu'il est en réalité, l'individu en train de manger ma soupe. Peut-être aussi un type encombrant. Vraiment, je me pose des questions. Il faudrait aussi tenir compte de ta présente situation. Je ne dirais pas que tu es fichée par la police. La preuve, c'est que tu gagnes ta croûte dans l'Administration publique.

Sauf que tu n'as pas été une sage demoiselle dans le passé. La police exploite toujours de pareilles situations pour régler des comptes avec d'anciennes militantes qu'on croit toujours dangereuses. Seigneur! pourquoi est-il venu atterrir ici, pas ailleurs? On trouve au moins une quarantaine d'appartements dans l'immeuble. Tu veux vraiment le garder?

— Oui, répond sèchement Carmen, du moins jusqu'à la fin de la tempête.

— S'il meurt? réplique Marie-France.

— Il ne mourra pas. Tiens, il commence à bouger. C'est ça bonhomme, bouge-toi, allons, plus vite que ça.

Jacques essaie de se remuer le corps. On détecte deux lents mouvements au niveau du bassin. À bien l'observer, on a l'impression d'être devant une personne en train de vivre un grand événement de l'intérieur. Son visage passe de la gravité à la détente en quelques secondes. Sans doute est-il en train de revivre le dernier cauchemar raconté au psychologue du Centre Bon Repos.

Une épaisse nuit envahit la cour de sa grand-mère. Des chiens aboient lugubrement. Une main de cyclope ouvre la porte de la case, sauvagement. Tout le monde est propulsé à l'extérieur. Des cris prolongés de détresse déchirent la nuit. On veut se réfugier dans la case d'à côté. Impossible. Elle est protégée par deux lions à visage d'homme. Son grand-père qui avait perdu les deux jambes à cause d'une gangrène se met tout à coup à marcher. La terre tremble. Sauve-qui-peut. Un diable à queue d'acier met les pattes sur les épaules du vieux. Au moment où il va prendre ses jambes à son cou, le diable rit gras. On voit les arbres déracinés; on entend mugir les vagues de la mer. Jacques réussit à s'échapper de la famille; le voilà entre les pattes du diable. Ô miracle: une caverne le reçoit, espèce de château où des musiciens saluent le plus fougueux des dieux de sa religion. Le diable qui le poursuivait n'ose entrer dans la caverne. Les premières lueurs du soleil levant commencent à blanchir l'horizon. On aperçoit des touches de safran formant des plaques sous la voûte du ciel. Le voilà volant au-dessus d'une mer agitée. Le diable est toujours à ses trousses. Il tombe dans une forêt où des milliers de serpents s'enroulent à ses jambes. Il fait une première tentative de réveil. Tout cela, lui dit une voix, n'est qu'un cauchemar qui va se dissiper avec le jour, la foi en Dieu, l'amour d'une femme. La voix lui promet un réveil sans encombre. L'attente est longue, longue. Voilà qu'il est replongé dans le sommeil en même temps que le jour qui pointe avec le vent du Nord qui vient agoniser à ses pieds. Il commence à trembler, convaincu de se trouver bientôt sous les pattes du diable. Non, voici un autre décor; il s'agit d'une prison aussi large qu'un château, aussi longue qu'une route sans fin. Les camarades agonisent: Jacques Stephen Alexis, Henri-Claude Daniel, Daniel-Josué Bernard, fraîchement débarqués, venant de la Martinique, fraîchement mutilés. Jacques Stephen Alexis peut encore se grouiller, malgré la mutilation de la jambe droite, malgré des plaies béantes qui rendent méconnaissable toute la partie gauche de son visage. Une voix interpelle le révolutionnaire de la cellule d'à-côté. Il parvient, péniblement, à ouvrir un œil amoché. «À bobo pour Jacques Soleil» disent les prisonniers du Fort-National. Un peu d'espoir fait résonner malgré tout à ses oreilles le clairon de la liberté, le clairon de la libération de l'esclavage de dix millions d'individus tassés les uns sur les autres, collés les uns aux autres. Oui. Un peu d'espoir. Celui de se trouver devant le grand chef pour lui cracher au visage afin de signifier à son troupeau le refus du pardon, celui de dire une dernière fois au grand chef que rien ne pourra arrêter le peuple quand, sous la poussée furieuse de la misère noire, s'écrouleront des châteaux. Oui. Il attend, de pied ferme, des colonels domestiques du grand chef pour qui son assassinat sera une porte d'entrée au Pentagone. Il entend des bruits de moteur dans la cour de la prison. On jubile dans l'autre cellule. On ne s'est pas trompé. L'intervention de la Havane fait plier la Maison-Blanche. Le grand chef va céder aux pressions du Département d'État. C'est une question d'heures, la libération de Jacques Soleil. Au moment où l'on discute du sort du grand Jacques, un officier se présente dans sa cellule. Il regarde les jambes écrabouillées du romancier.

— Qu'est-ce qu'on peut faire pour vous, docteur?
— Mes jambes, répond Jacques.

Alors, on le met dans une jeep qui prend la direction de la ville, non du cimetière où l'on enterre vivants les prisonniers politiques. Tout le monde croit donc que Jacques est libéré. Erreur. Les chiens du grand chef l'ont dévoré, loin des yeux, loin du cœur de ses jeunes camarades.

La prison s'efface, brusquement. À sa place, la mer de la Caraïbe, la mer des sirènes-baleines qui escortent une frêle embarcation où s'entassent des dizaines de réfugiés faméliques. Encore des cris de détresse produisant un affolement général. L'embarcation ne résiste pas à la hauteur des vagues. Un premier groupe à la mer, des enfants ramassés sur le quai de la capitale, un deuxième groupe à la mer, des femmes enceintes incapables de se protéger. Bientôt on assiste au carnage. Jacques y assiste, impuissant. Un mouvement de plus, il serait à la merci des requins. Ce sont maintenant des scènes de torture physique: des prisonniers politiques décapités dans les cachots d'une prison, des cris de mendiants, des cadavres de réfugiés qu'on sort de la mer, traînés par des gendarmes. Jacques entend aussi le cri d'un général assistant, les larmes aux yeux, à l'étranglement de sa femme, à l'interrogatoire d'un exilé sur une chaise électrique. Défilent devant une estrade des policiers de plomb renversant des bateaux qui transportent des ailes de sirènes. Voilà une foule de visages de son pays collés aux édifices de la ville où il se trouve coincé au milieu d'une bande d'agents de l'Immigration dont les questions sur sa présence au pays confinent à l'insulte et au mépris.

■

— C'est à ne rien comprendre, dit Carmen. D'ordinaire, ça ne prend pas tout ce temps-là à un corps pour être dégelé. Ça fait plus de deux heures, et il est encore au même point. Toujours aussi raides ses membres. On dirait un bloc de glace qui n'arrive pas à fondre, même sous une température de deux cents degrés.

— Je me pose la même question, répond Marie-France. Aucun doute là-dessus: la tempête l'a trouvé déjà gelé quelque part.

— Non, impossible. Aucun être humain n'aurait été capable d'aboutir jusqu'ici si tel avait été le cas.

— Oui. Aucun être humain, sauf que nous sommes actuellement envahis par des gens dont les moyens de survie dépassent notre entendement. On te les montre tous les jours à la télé. Où trouvent-ils leur force de résistance, ces morts-vivants, ces squelettes vivants qui semblent défier la mer? Quelques cuillerées de soupe, quelques grammes de pain, ça se met à marcher, à courir. Je me demande si leur charpente est vraiment pareille à la nôtre, s'ils n'ont pas une constitution qui fait dire aux philosophes qu'il y a des gens qui sont nés pour la servitude et d'autres pour l'esclavage.

— Je t'en prie, Marie-France! L'esclavage est une plaie sociale. Il n'a aucun rapport avec notre constitution physique. Toutes les races en ont été victimes.

— Pas les Blancs aux yeux bleus que je sache, pas non plus les Arabes. Seuls les Noirs et les Juifs ont connu la servitude.

— Tu perds la tête.

— Je ne le crois pas.

— Des hommes du pays ont vécu dans les forêts durant la guerre. Ils étaient privés de tout. Ils ont pourtant regagné leur demeure encore plus vigoureux.

Le temps file. Marie-France se retire dans la chambre, complètement dérangée, moins par l'individu auquel son amie semble tenir que par la réaction de l'homme qui partage actuellement sa vie. Elle a tant vanté les qualités de Carmen que Pierre Villerin a fini par en faire un mythe. À une question de Marie-France la semaine dernière concernant les femmes qu'il fréquente, il répondait qu'il a un respect presque sacré pour Carmen, à tel point qu'il n'oserait pas lui faire des avances, même si elle le désirait.

Ce n'est pas pour rien qu'à chaque grosse engueulade, l'intervention attendue demeure celle de Carmen. Un mot bien placé et voilà Pierre qui retrouve son bon air d'enfant. Tout cela risque de s'effondrer, pense Marie-France. L'homme éprouve une répulsion pour les Noirs depuis l'assassinat de sa nièce Nicole.

C'était une fille gentille, une élève studieuse, sans problèmes, le genre d'enfant qui fait l'honneur de sa famille. La famille, un beau matin, s'est retrouvée en proie à la panique. Nicole n'était pas rentrée.

Affolés, les parents se rendent au collège, et apprennent que Nicole a «décroché» depuis deux mois. Alors commencent les tribulations de la famille. Mobilisation du personnel et des élèves du collège, des forces policières, et même d'une toute petite entreprise de détectives privés. Aucune trace de la jeune fille après plus d'un mois de recherche.

La famille, un soir, est terrassée. Un cousin jure avoir vu Nicole dans la Cadillac d'un Noir. La même semaine, deux détectives confirment la version du cousin en ajoutant, au grand désespoir de l'entourage, que la jeune fille vit dorénavant de la prostitution. Le père, ancien séminariste, aujourd'hui haut fonctionnaire au ministère de l'Éducation, n'a pu encaisser un pareil coup. Il a flanché. Souffrant de dépression nerveuse, il a passé quatre mois à Louis-Philippe D'Aut. La mère, professeur de littérature à l'Université Jules Bornet, auteur de plusieurs livres sur la maladie mentale dans l'œuvre de Mosche Ben Abraham, a craqué elle aussi. Même le frère aîné a dijoncté devant le dérapage de la sœur. D'autant plus que les méchantes langues de son environnement ne perdent jamais une occasion de le piquer au vif. Tel a été le cas de Jean Laroche, un ami de longue date, follement amoureux de Nicole. Revenant un soir d'une fête au collège, il lui a craché en plein visage.

— Vraiment Nicolas, je ne trouve pas les mots qu'il faut pour te dire le fond de ma pensée à propos de ta sœur. Imagine un esclave nègre, en Afrique du Sud, dans une case en boue, les jambes rognées par des plaies. Imagine un excrément d'humanité à la peau flasque, à la bouche puante, aux dents pourries. Imagine ça sur le ventre de ta sœur. Tu comprendras mon envie de vomir à l'idée qu'un nègre puisse seulement voir son sexe, à l'idée qu'elle couche avec des nègres, qu'elle en soit l'esclave, la propriété? Rien qu'à y penser, j'ai envie d'entrer dans la police pour leur faire la vie dure. Oh non! Les défenseurs de la race blanche ne se trompent pas. Si on ne fait rien maintenant, dans une vingtaine d'années, les nègres règneront sur toutes les femmes du pays.

Carmen aussi est préoccupée par la manière dont le monde va interpréter la présence d'un Noir dans son appartement. Elle ne se fait pas d'illusions. Dans ce monde, pense-t-elle, la bienveillance n'existe que dans la tête des personnes qui y croient. Son geste de bonté à l'égard d'un étranger passera pour de la naïveté. Bien sûr qu'elle pourra compter, pour sa défense, sur quelques membres du Parti avec lesquels elle a milité pendant de nombreuses années. Il ne faut, non plus dédaigner l'appui de quelques centres culturels qui luttent pour les droits des Noirs du continent. Sauf qu'elle risque de fournir des armes au bureau pour qu'on s'en débarrasse. Le patron ne la ratera certainement pas, malgré son tempérament d'hypocrite, sa vie de gigolo. À le voir à l'église tous les dimanches, l'hostie élevée à la hauteur de la tête de manière à se faire voir de tous les fidèles, à le voir prier en famille avant le repas du soir, à l'entendre gronder sa femme à cause d'une tenue négligée dans la chambre à coucher on le prendrait pour un saint homme de la ville. Pas de concessions au crime, dit-il souvent. Le monde doit laisser tomber la guillotine sur la tête des malades mentaux et des criminels.

Elle s'attend à la même réflexion de la part des autres membres du bureau. Malgré tout, elle essaie de garder la tête froide, de ne pas anticiper sur les conséquences de son geste. Il faut bien, pense-t-elle, commencer quelque part, quitte à soulever contre soi une meute de loups, quitte à devenir soi-même l'instrument de sa déchéance. À Lucienne qui l'interrogeait dernièrement sur sa décision de ne pas poser sa candidature au poste de vice-présidente du Parti, elle disait qu'elle aimerait mieux refuser des honneurs plutôt que de vivre avec des sentiments de lâcheté tout au long de sa vie, puisqu'elle était la première à dénoncer la vieille garde de cette formation politique.

VI

Au salon, Carmen grille une cigarette. À la manière dont elle parcourt le corps de Jacques, elle fait penser à une magicienne dont le regard possède assez de pouvoirs pour faire bouger une masse de béton. On la voit tantôt froncer les sourcils, tantôt se détendre la figure à l'instar d'une demoiselle heureuse de sa première rencontre amoureuse. On aimerait longtemps la voir dans cet état, tellement elle dégage une grâce qui comporte sans doute quelque profonde magie. Observation de Marie-France depuis quelques minutes. Elle était sortie de la chambre avec l'intention de s'en aller. Elle a cependant changé d'idée devant l'attitude de Carmen. Celle-ci ne donne pas l'impression d'une femme déchirée, hésitante vis-à-vis d'une décision à prendre. Elle n'a pas l'air d'une femme dépassée par un événement. Au contraire. Carmen semble prête à faire face à la musique, prête à affronter n'importe quelle force pourvu qu'elle demeure fidèle aux multiples voix qui lui demandent d'obéir aux directives de sa conscience. Elle est prête à se faire dénigrer pourvu que, pense-t-elle, par un seul acte qui sort de l'ordinaire, elle puisse blanchir une race, sa race, dont les morsures dans la chair d'une autre race ne sont pas étrangères à l'agonie de ce Noir dans son appartement.

— On dirait que le vent devient de plus en plus terrible. Je n'en ai jamais vu de pareil, même en Olonie où l'hiver n'était pas un cadeau.

La même chose au Chiboutou, répond Marie-France. On devait parfois rester à l'intérieur pendant deux, trois, quatre jours. Il n'était pas chanceux oncle Arthur qui affrontait une tempête aussi impitoyable que celle-là. Le temps de faire rentrer à la grange une vache qui prenait la clé des champs, il avait les oreilles amochées. Heureusement, la chirurgie commençait à faire des miracles. Depuis, j'ai une peur morbide des tempêtes de neige. C'est incroyable les ravages que cela peut causer. Si encore on pouvait freiner ses instincts de mort.

— Écoute, laisse tomber brusquement Marie-France, on dirait un corps en train de réunir lentement ses énergies afin de passer d'une mort lente à la vie. Les premiers râles semblent disparaître au profit d'une respiration presque normale.

— La partie est en voie d'être gagnée, répond Carmen qui, aussitôt, recommence à imbiber d'une compresse d'eau chaude le visage de Jacques.

Bref sourire de l'homme. Des voix humaines, semble-t-il, lui deviennent perceptibles. On le voit remuer des lèvres, pareil à quelqu'un qui revient d'un long coma.

— Ça ne devrait pas tarder, dit Carmen à Marie-France. Pourvu que les membres fragiles du corps aient tenu le coup.

On palpe. En marche réellement le dégel.

— D'où peut-il venir? D'ordinaire, on ne voit pas des clochards de couleur en ville. Même à la gare, les Noirs sont bien habillés.

— Ça change de plus en plus, répond Carmen. Qu'ils viennent d'Afrique, des Antilles, les Noirs qui circulaient autrefois dans la ville étaient toujours en tenue distinguée. Ça se comprend. Il s'agissait de professionnels, médecins, professeurs, étudiants d'université. On considérait comme chanceuse la demoiselle qui pouvait décrocher l'un d'entre eux. Oui, c'est quand même bizarre. Au cours de mes quatre ans d'études à la facculté, je n'ai jamais entendu parler d'incidents racistes. On aurait dit qu'ils partageaient avec nous une même culture, du moins ceux qui m'adressaient la parole. Ils nous apportaient aussi un peu de leur soleil, de leur spontanéité, et cette manière d'aborder les femmes avec beaucoup de respect, d'amitié et d'admiration. Finie brusquement la belle époque. Un beau matin, on est tombé sur des chauffeurs de taxi non blancs. Ça a été pour moi un choc de découvrir qu'en peu de temps une foule de gens qui n'avaient pas le soutien de l'État avaient envahi la ville.

— Sincèrement, sans vouloir te blesser, dit Marie-France, celui-ci ne me semble pas très catholique. Il peut être un type bien, un de ces professionnels, bien éduqués. Qui sait? Il peut même être un bon père de famille qui dérape parce qu'il vient de perdre son emploi, qu'il a trouvé sa femme dans les bras d'un crétin, que sa fille a choisi la prostitution, le plus sûr moyen de régner sur les hommes avec son sexe. Oui. Qui sait? Je ne puis m'empêcher de penser aux prophètes à la vue des clochards. Par-delà une peau flasque vêtue de haillons, c'est toute une personnalité qui parle, s'impose et rayonne. Sauf que le contraire peut être aussi vrai, que le moribond de cet après-midi peut devenir un monstre demain matin.

Qui sait.

— Oui, qui sait, répète Carmen. Moi aussi, j'ai peur. J'ai peur de ne pouvoir rien faire, d'être obligée de m'en débarrasser bientôt, plus vite que n'importe quel objet. On se lamente, on pleure dessus, ça disparaît. Quelle âcre saveur a quelquefois la différence!

— C'est affreux, en effet, la différence, surtout quand elle va à l'encontre de nos coutumes, de nos lois et de nos traditions. Surtout quand l'État nous l'impose pour des raisons inconnues. Oui. La différence qui nous bouleverse, nous dérange et nous fait mal. Tu sais, je dois l'avouer. Contrairement à toi, je n'ai jamais été attirée par la différence. Il se passe pourtant quelque chose en moi. Plus je le regarde, plus je me dis qu'il n'a pas l'air méchant. Non. Il me fait penser à un joueur d'harmonica, à ces types du genre de ceux de l'ONCLE TOM, dont le rire éclatant masque une vie d'enfer, une existence de chien. Je serais tellement heureuse s'il n'était pas un assassin, un voleur. Moins pour moi que pour toi.

C'est tellement dur de sortir d'un beau rêve, de perdre les plus beaux moments d'une illusion de fraîcheur, tellement dure l'impossibilité de se jeter dans les bras d'une personne dont le regard est comme un souffle de printemps. Que Dieu me pardonne. Non, ce n'est pas un voleur ni un assassin. Il serait mieux habillé. Avec de larges épaules, quelque chose sur le visage susceptible d'endormir la victime, de l'attirer à soi. Oui. Il serait mieux habillé, à l'image des gigolos prêts à vous soutirer votre prochaine paie en tombant à vos pieds. Attention! Tu vois? Il continue de s'agiter, il serre les dents. C'est un très bon signe, même si c'est sous le coup de la douleur. Oui. Je suis curieuse de découvrir cet homme. Nous serons probablement fixées quand il reprendra ses esprits.

— Je ne suis pas intéressée à le connaître davantage, dit Carmen.

— Pardon? dit Marie-France.

— Ça ne m'intéresse pas de savoir qui il est, d'où il vient, pourquoi il est venu échouer devant ma porte.

— Tu divagues, ma parole, réplique Marie-France; je ne te demande pas de jouer à l'espionne.

— Je ne divague pas, tranche Carmen. J'ai tout simplement horreur des interrogations. Je ne veux pas imposer aux autres le châtiment qu'on m'a fait subir il y a quelques mois. Tous ces interrogatoires qui me fouillaient jusqu'au tréfonds de moi-même. On aurait dit une grue dans la chair de la terre. Ça tapait, tapait. Oui. Il fallait que je parle de tout, de rien, de son habillement, de son rire cynique au moment où ses griffes déchiraient mon corsage. Il ne fallait rien oublier, pas même l'heure à laquelle il s'était introduit dans mon appartement, pas même les minutes de notre première rencontre dans ce club fumant de la Sainte-Madeleine, pas même la couleur de la tasse de café que nous devions prendre plus tard chez Marie-Thérèse Ladouceur. J'avais l'impression d'être un bourreau, moi aussi, le vrai sujet de quelque chose qui ne peut pas ressembler au viol, puisque je le voulais, je le cherchais, je le portais en moi-même ce besoin de me faire fourrer, pardon, caresser, dorloter, mignonner, ce besoin de me faire saigner pendant que disparaissait le soleil aux pieds de l'horizon. Oui, j'étais le bourreau, mon propre bourreau, puisque c'est moi qui l'avais invité après une courte visite chez Marie-Thérèse. Je déraillais, disait-on, en voyant sa poitrine, en passant la main sur ses poils. Je bavais, disait-on, devant ce corps de mâle, le premier qui m'ait donné envie de coucher, les bras en croix pour recevoir cette masse de deux cents kilos. Pas un seul instant mon interrogateur m'a laissé le temps d'être la

41

victime, la demoiselle manipulée, celle qui se fait sur-
prendre par un bel après-midi d'été après qu'elle a
bien nourri un homme à la moustache en croc, aux
sourcils épais.

— Laisse tomber, dit Marie-France.

— Quoi! s'écrie Carmen. T'as une courte mémoire.
Tu étais pourtant dans la salle.

— Oui. J'étais dans la salle. Avec toi, près de toi. Je
cherchais tes regards pour te réconforter par ma
présence, pour te dire de tenir le coup, d'aller aussi
loin que tu le pouvais dans la description d'une bête
incapable de courtiser une fille avant de lui proposer
d'aller au lit. Oui, pleuvaient des questions, sans
interruption. Elles me faisaient mal moi aussi. Elles
saccageaient mon âme, mon crâne, mon humeur. Elles
me donnaient aussi l'envie de me couper une veine
puisque nous n'étions rien à leurs yeux. Tu vois.
J'avais tout compris, gobé, étudié. Sauf que la terre
continue de tourner, que le soleil se lève tous les
matins au même endroit, que rien, absolument rien ne
peut arrêter une tempête de neige quand elle décide
de perturber notre quotidien. Sauf que la vie continue
dans un monde immobile, malgré les apparences,
qu'il faut oublier ces cruels moments de la même
manière qu'on oublie un cauchemar.

— Quoi! oublier? Ah ça non! Tu m'en demandes
trop Marie-France. Si tu veux que je retrouve ma
pureté de fille, alors efface de ma mémoire cette
masse de deux cents kilos qui s'est abattue sur mon
ventre, le souffle aussi puissant que celui d'un dragon.
Non. J'ai besoin, moi, de ces atroces images pour me
rappeler ma faiblesse d'avoir cru, à un certain
moment, que je pouvais te faire concurrence, en ayant
moi aussi un chevalier servant au teint basané à mes
pieds tous les soirs, un bouquet de fleurs à la main.

J'ai besoin de cette pieuvre dans ma cervelle pour me rappeler constamment la voix autoritaire de mon interrogateur, la façon autoritaire de me traiter de menteuse, même si mon témoignage, aux yeux de tout le monde, de l'avis de tout le monde, ne comportait aucun vide quant à la situation ainsi qu'à la description du scandale. Tu te rappelles comment ça s'est mis à déraper à un moment donné. On me posait des questions stupides. Il fallait m'amener à confesser mes péchés, mes sales tendances à vouloir séduire les hommes, à vouloir les entraîner dans la fornication. Il fallait m'amener à admettre mon tort, celui d'avoir osé inviter un homme chez moi. Oh, oui. Ça ne se fait pas. Tu comprends. Barre-toi dans ton couvent, semblait me conseiller le tribunal, toutes ces gens qui détiennent sur nous un pouvoir absolu, qui nous jugent, nous condamnent au moindre acte libéral, au moindre écart de conduite par rapport à leur système de valeurs. Tout cela pour aboutir à la reconnaissance de la puissance d'un homme devant une femme. Oui. Il faut bien l'admettre. Nous n'avons aucun moyen à notre disposition pour sortir du cercle où l'on nous garde. Oui, ma chère. J'aurais dû prévoir les conséquences de mon acte. Ça fait très longtemps que c'est écrit dans les livres, dans les films, sur les rayons des magasins, partout où l'on a besoin de bouc émissaire pour faire oublier ses propres faiblesses. Pas de sexe d'homme dans la grange, disait ma grand-mère. Elle avait sans doute raison.

— Oui, sans doute. Sauf que la question n'est pas là.

— Elle est où? demande naïvement Carmen.

— Dans ce qui te reste de dignité après de si lourdes épreuves, d'horreur aussi. Je le répète: malgré ma peur de la différence, cet homme n'a pas l'air dangereux. Mais à mon avis ton appartement n'est pas une maison de bienveillance. Sais-tu Carmen? Je suis contre la charité.

— Qu'est-ce qu'elle a de si mauvais, la charité?

— Elle prépare au crime et à la vengeance. Oui. Faire la charité à quelqu'un, c'est le mettre en face de son impuissance, de son état d'infériorité par rapport à soi. Il voudra un jour se venger, histoire de se libérer de sa situation de dépendant.

— Dire que les riches continuent à pratiquer cette vertu, répond Carmen. Je me demande ce qu'il faut faire pour soulager, pour secourir les éclopés d'Afrique, d'Asie et d'Amérique du Sud.

— Je n'ai jamais pensé à cela, vois-tu. Pourtant, je suis loin d'être une égoïste. Je donne beaucoup d'argent à la parenté. À mes hommes, je pardonne facilement les blessures qu'ils m'infligent, même si je continue à recevoir leurs coups de pattes.

— Moi, aussi. La preuve, j'ai parlé tout dernièrement au cousin de mon violeur. Au club, on n'en revenait pas. Ému jusqu'aux larmes, le patron est venu m'embrasser.

La conversation est entrecoupée de silence. Carmen observe Jacques sur le sofa. Elle donne l'impression d'une personne qui s'attend à quelque chose, maintenant, plus tard. De la manière dont elle regarde Jacques, on sent qu'elle est prête à vivre un événement, peut-être l'un des plus marquants de sa vie. Marie-France en est consciente.

— Sincèrement, dit-elle, j'aimerais...

— Quoi? demande Carmen.

— Que tu trouves le plus vite possible une épaule sur laquelle t'appuyer.

— Oui. Je le voudrais. Malheureusement, c'est un bonheur que je ne peux me payer. Je suis trop lâche, Marie-France.

— C'est quoi ça?

— Quand nous crachons sur nos propres désirs, au nom d'une morale qui tue en nous la force d'aimer, nous ne pouvons pas espérer rencontrer une personne à qui nous donnerions tout de nous-mêmes.

— C'est parce que tu fermes toutes les portes.

— C'est plus que cela, réplique Carmen. Je me sens incapable d'obéir à la force de mes désirs. Tiens. Hier soir au Club, j'ai failli coucher avec une personne. J'aurais dû le faire, pour éteindre en moi cette flamme qui ne cesse de me brûler, de me consumer. Pour avoir au moins la sensation que je suis bien un être vivant, une femme du monde, avec ses passions dévorantes, son besoin de se faire caresser, de se faire dire des mots doux à l'oreille au bruit d'une hirondelle sur la fenêtre, d'une note musicale qui engendre l'envoûtement. Oui. J'ai voulu coucher avec cette personne. Je ne l'ai pas fait. Je pense que j'aurais dû le faire. On dirait que toute la tendresse du monde coulait de ses regards. Elle paraissait plus meurtrie, plus blessée que moi. Assise au bar, un homme au teint basané rôdait autour d'elle. C'était le portrait fidèle de mon violeur. Aucune réaction de la fille à la flatterie du cajoleur. Ou plutôt non. Elle semblait se pâmer de joie en voyant un homme si gros, si gras, tenter d'apprivoiser un corps qu'il pouvait plier en deux. Ça passait de tabouret en tabouret jusqu'à s'approcher de la chair qu'il avait envie de manger, de dévorer, jusqu'à l'assouvissement de ses instincts. Nos regards brusquement se sont croisés. On est demeurées figées. On s'aimantait l'une l'autre. Tout un univers jaillissait de nos regards. Nous avions l'impression, en quelques secondes, de découvrir en nous les mêmes élans du cœur, les mêmes contradictions, les mêmes faiblesses pour l'assumation de notre être. Oui. Nous avions l'impression de vivre la même solitude, le même déchirement vis-à-vis de l'autre qui la regardait tel un oiseau à attraper. Elle s'est approchée de moi. Ça fait longtemps que je ne m'étais pas faite aussi vierge, aussi adolescente sous la tendresse d'un regard qui disait tant de poèmes, sachant d'avance que la partie était gagnée, qu'il y avait trop de désirs dans mes yeux pour refuser un si beau dialogue d'amour, de vérité. Elle a doucement posé la main sur mon épaule. Ma chair frémissait sous la magie de ses doigts. Alors, la vie s'est mise à renaître, ce monde d'amour que je n'arrêtais pas de créer avant le grand dérangement, sans haine, sans violence. Elle m'a regardée pendant un long moment. J'étais prête à tout, à la suivre où elle irait, à me faire petite chienne, à me plier à tous ses caprices. Oui. Prête à tout, à vivre désormais à ses côtés sinon pour reconstruire mon identité de femme, du moins pour diluer graduellement en moi cette image de brute qui m'a fait connaître tant de nuits cauchemardesques. Au moment où j'allais acquiescer à ses avances, elle a froidement laissé tomber: «C'est dommage. Tu n'es pas encore prête pour ce genre d'aventure. L'autre te fait toujours ballotter entre des contraintes, plus que tu ne le penses.» Je n'ai pas eu la force de la contredire, au nom encore de ma sainte pudeur. J'ai fermé les yeux pour mieux loger dans la mémoire cette fulgurante beauté dont les doigts continuent de me faire frissonner. Oui. Je l'ai laissée partir, toute seule. Quelle connerie! Elle avait tant de choses à m'apprendre. Peut-être aussi celui-là puisqu'il est doublement différent de moi. Peut-être encore une fois que je n'aurai pas la force de lui dire le fond de ma pensée, de le contredire vigoureusement, de lui faire savoir soit ma haine pour des types de son genre, soit mon amour pour un étranger différent de moi. Oui. Peut-être que je serai encore cette espèce de poule mouillée, cette femme qui se la ferme chaque fois qu'un homme lui parle sur un ton autoritaire. Peut-être aussi nous parlera-t-il dans une langue que nous ne comprenons pas. Il n'est pas d'ici, certainement. Cependant, je suis persuadée qu'il doit avoir le même âge que nous, même s'il a l'air d'une loque humaine.

Quand j'étais au couvent, on faisait la quête pour eux. Il m'arrivait certains soirs de ne pas dormir tellement la description de leur état physique, par nos missionnaires, faisait travailler mon imagination. Des enfants au ventre ballonné, victimes des morsures de mille-pattes, de serpents et de rats. Des hommes fauchés par la syphilis, la malaria et le tétanos. Des femmes qui n'ont pas la force d'allaiter leurs bébés parce qu'elles crèvent de faim. Oui. Toutes ces créatures porteuses de lèpres pillaient mon sommeil. Sauf qu'elles étaient loin de nous. Maintenant s'effondrent les barrières et les bateaux déversent sur nos côtes des figures différentes des nôtres. Nous les côtoyons tous les jours et, chose bizarre, leur comportement nous force à nous regarder, à nous questionner. Je ne voudrais pas tomber dans son piège. C'est bien d'un piège qu'il s'agit, me mettre dans un état tel que je ne pourrais pas voir clair dans mes trous d'ombres.

Carmen se penche sur Jacques, avec la même expression sur le visage, avec un regard encore plus maternel.

— Ça y est, crie-t-elle à Marie-France. Regarde!

Jacques essaie de se mouvoir les jambes, une fois, deux fois. Sur sa figure, quelques gouttes de sueur. Il tente de remuer les lèvres, d'ouvrir les yeux. Il se met à gémir, à raidir ses membres, de manière à se libérer d'une atroce douleur. Ça devient de plus en plus poignant. Il se tord sur le sofa. Marie-France recommence l'opération de tout à l'heure. Elle le libère de ses haillons, le veston troué, une chemise trouée aux mites, une chemisette si sale que la crasse combinée avec la neige forme une espèce de boue qui vous renvoie en plein visage une odeur de charogne. Ça fait tousser et pleurer. On a l'impression que s'aplatissent les poumons sous le poids de cette nauséabonde senteur. Qu'à cela ne tienne. À l'aide de la compresse d'eau chaude, elle recommence à palper la poitrine de Jacques afin de réactiver les muscles endoloris, alors que Carmen s'emploie à lui délier les doigts. On veut le déchausser. Ça colle aux pieds de Jacques, telle une sangsue. Alors, il faut tirer. On tombe. On recommence. On tombe encore. Finalement les pieds sont libérés. Les voilà dans un récipient d'eau chaude.

Jacques continue de se tordre. Plus on passe la compresse d'eau chaude sur son corps, plus la douleur s'intensifie. Plus on lui remue les bras, plus il gémit. Carmen ne peut retenir ses larmes.

— Il souffre, Seigneur, dit-elle. Nous n'avons rien dans l'appartement pour le soulager.

— Au contraire, répond Marie-France. C'est déjà beaucoup ce que nous faisons. Les résultats ne vont pas tarder. C'était un bloc de glace lorsque nous l'avons rentré à l'intérieur.

Jacques continue de pousser des gémissements de douleur. Les femmes gardent le silence. Carmen fait les cent pas au salon et dans la chambre pendant que Marie-France se fait du café. On augmente le volume de la radio. Les nouvelles ne sont guère encourageantes. La tempête va continuer à faire des ravages encore quarante-huit heures. Le vent, paraît-il, a quadruplé de vitesse. Du jamais vu, dit-on, depuis la tempête du siècle en 1971. Les dégâts sont épouvantables. Quatre incendies au centre-ville dûs au déracinement de poteaux électriques. Il y a tellement de voitures abandonnées qu'il est impossible de dégager les artères principales. D'après les premiers rapports de la police, on compte déjà une centaine de morts dans les zones défavorisées. Bref, dit l'animateur avec des sanglots dans la voix, c'est l'apocalypse.

— Je rentre chez moi, dit Marie-France à Carmen qui fait semblant de ne pas l'entendre, les yeux fixés sur le personnage.

— Je vais rentrer poursuit Marie-France. Il doit être en colère. J'ai quand même des engagements envers lui. Tu comprends?

— Non, réplique Carmen, d'un ton grave. Je ne comprends pas que tu aies des engagements envers un homme qui mange ta soupe, qui chauffe ton lit, qui empoche tes chèques de paie, qui fait la fête sur ton dos avec ses amis tous les soirs, tout ça sans rien donner en retour. C'est lui, ma chère, qui a des engagements envers toi, s'il lui reste quelque sentiment de dignité, à moins que tu veuilles signer ta propre mort, cette honteuse soumission à un gigolo.

— Je te défends d'en parler ainsi, crie Marie-France.

— Comment dois-je en parler? Présenter à la nation ton homme au superlatif, le plus brillant esprit du pays, qui ne dépend de personne pour vivre, boire et manger, qui a pour toi beaucoup d'amour, de respect et d'admiration, qui est ton homme devant Dieu, devant les hommes? Voyons, Marie-France. Qui veux-tu tromper? Qui?

— Tu connais bien la vraie raison.

— Laquelle?

— Je l'ai déjà dit.

— Laquelle? crie Carmen.

— Si jamais il mettait les pieds ici.

— Il te tuerait, n'est-ce pas! Oh, non. Il t'accuserait de connaître ce Nègre, d'être sa maîtresse, de faire avec lui des saloperies. Il t'accuserait de l'avoir entraîné chez moi puisqu'il sait que je ne fais pas cadeau de mon sexe aux sadiques de la ville. Ce serait toi la sale traînée, la sale pute.

— Assez Carmen. Un mot de plus...

— Tu t'en irais? Non, tu ne t'en iras pas.

— Tu n'as tout de même pas besoin de moi pour être ta complice.

— Je ne commets aucun crime, aucun délit, aucune faute contre la morale, ta morale.

— Alors, tu ne peux pas assumer toute seule ta responsabilité?

— Oui, je le peux. Jusqu'au bout s'il le faut.

— Alors, fous-moi la paix, bon Dieu!

— Ah non. Ce serait trop facile de t'en tirer. J'ai un moribond dans mon appartement. Je ne sais pas ce qui va se produire. Peut-être un brutal réveil, peut-être une violente réaction à un changement de lieu. À deux, certainement, nous pourrons, par divers moyens, maîtriser la situation. Je t'ordonne de rester. Au nom de ta foi chrétienne.

Marie-France demeure figée. Elle n'a jamais vu Carmen dans une telle explosion de colère. Même devant l'humiliation, même au tribunal où elle s'est fait déshabiller, avilir par un avocat, elle a toujours gardé la tête froide, évitant toute réaction émotive qui ferait croire à une faiblesse de femme. À une amie commune qui lui demandait dernièrement pourquoi Carmen ne réagissait pas aux attaques délibérées des autres, elle avait répondu que la force de cette dernière résidait dans sa capacité à absorber des coups, à ne rien faire qui puisse provoquer chez l'adversaire quelque sentiment de pitié. Le personnage, aujourd'hui, change radicalement de tempérament. Bien sûr que Marie-France, elle non plus, ne se laissera pas faire. Carmen sait que, même si elle nourrit ses amants, même si elle se fait toute petite dans leurs bras, elle possède parfois une force d'attaque qui peut démolir un homme, si gros soit-il. Ce n'est pas pour rien qu'elle change constamment d'amants. Après quelques semaines, la passion du début se transforme en répulsion; elle ne peut plus sentir dans son lit un homme qui lui paraît fade, faible, ridicule. Pourtant ce soir, elle n'a pas envie de défier Carmen. On sent plutôt chez elle quelque chose qui se manifeste dans les moments de crise, le désir d'aller plus loin que sa peur, de crever sa peur, de sortir d'elle-même pour mettre la main sur l'objet qui l'effraie, qui la bouleverse, qui l'empêche d'agir. Tendres regards sur Carmen. Elle lui prend la main.

— Bien sûr que je te comprends. On verra plus tard. Il n'est pas dit non plus, au nom d'un humanisme lointain, que je dois laisser un autre crever de faim à un moment où personne ne peut mettre le nez dehors.

Jacques ouvre lentement des yeux brouillés par des larmes. Il lui est impossible d'identifier des formes qui lui paraissent zigzaguantes. L'expression de son visage fait sentir l'effort de quelqu'un qui cherche à se libérer des affres d'un long cauchemar. Il essaie encore de remuer les jambes ainsi que les bras. Une fois, deux fois. Ça y est. Il peut maintenant mouvoir légèrement le bras droit, tourner aussi légèrement la tête du côté des deux femmes.

— Oui. Vous êtes bien au chaud. Nous vous avons

ramassé dans le couloir. Elle, c'est Marie-France. Moi, Carmen. N'ayez peur de rien. Vous êtes ici en sécurité. Rien ne pourra vous arriver. Vous allez rester avec nous jusqu'à la reprise de vos forces. Alors, parlez, dites n'importe quoi. Nous avons besoin de savoir quoi faire.

On dirait une voix dans le brouillard, une voix au fond des bois. Jacques n'entend que l'écho dans une grande salle où circulent une foule de personnes, en tenue de soirée. La façon de remuer les lèvres indique quelque désir de communiquer. Carmen pose la main sur son front brûlant de fièvre. Son corps se remet à trembler.

— Là, ici, tout près, dit Jacques.

— Il parle, mon Dieu! Il parle, Marie-France. Tu Te rends compte. Pouvoir parler dans l'état où il était. Incroyable, Marie-France!

— Oui. Incroyable. Sauf qu'il ne donne aucune information. Ici, là, tout près. Ça veut dire quoi?

— Beaucoup de choses dans la logique d'un cerveau déchiqueté par des chocs émotifs. Il faut attendre qu'il retrouve pleinement ses esprits.

Jacques recommence à balbutier. On n'est pas capable de décoder des mots arbitrairement articulés.

— Ça ne vaut pas la peine de rester accroché à ses lèvres, dit Marie-France à Carmen. Dans son état de confusion, je doute qu'il puisse dire quelque chose qui ait du bon sens. Quand l'orage aura cessé de gronder dans son esprit, nous saurons peut-être pas mal de choses sur lui.

Carmen paraît détendue, souriante en dépit d'une dramatique situation. Elle avale quelques gorgées de café; la main à la bouche, elle regarde Marie-France qui s'accroche à la fenêtre.

— Tu m'en veux, n'est-ce pas? dit-elle à Carmen.

— Je n'ai pas la force d'en vouloir aux autres. Pour haïr, on doit aussi pouvoir s'attacher aux êtres qui nous entourent. Je n'ai plus d'énergie pour ça. Il ne me reste que ma faiblesse.

— Ne dis pas ça. En décidant de partir, je veux tout simplement t'éviter un scandale. Cet homme me paraît si faible que le moindre obstacle à ses désirs de possession peut le rendre fou à lier. Je n'ai pas encore décidé de me détacher de lui.

— Je comprends. Je maintiens mon point de vue. S'il te reste un peu de fierté, c'est maintenant qu'il faut le prouver.

Jacques pousse des cris de douleur, accompagnés du craquement des os. Il se tord. Il peut maintenant bouger les jambes, soulever les bras, palper ses oreilles ainsi que son nez. Marie-France demeure terrassée. Elle a l'impression de se trouver devant une bête qui va foncer sur elle dès qu'elle aura repris ses forces. Étrange aussi le comportement de Carmen. Aucune réaction aux mouvements de Jacques qui semble, plus ou moins, retrouver ses esprits. Tout à l'heure, elle lui disait de bouger pour elle, pour sa race, pour ses frères qui sont en train de crever ? Maintenant, elle semble perdre la parole et ses premiers élans vers Jacques qui continue de gémir. Surprise: Il tente de s'asseoir mais ne réussit pas. Il a l'impression d'être victime d'un coup fatal.

— Miss, implore-t-il. La gangrène revient. Si vous n'avez pas de morphine, alors la scie, oui, la scie. Je veux m'en débarrasser. Je ne veux pas vous contaminer. Au contraire. Je serai à vos pieds un esclave aux jambes coupées. Je n'en peux plus, Miss. Les pilules, s'il vous plaît. Arrêtez, je vous en prie, la machine qui produit le réveil. Je veux sombrer dans un sommeil éternel. Sœur Nicole, revenez avec le plateau de morphine. Je vous le jure: elle est finie ma période de rébellion.

Les deux femmes n'en croient pas leurs oreilles. Les premières intuitions de Carmen se révèlent assez justes. Cet homme a tout l'air d'un évadé de prison, d'un centre hospitalier, d'une résidence surveillée. Les indices paraissent assez clairs. Il en est de même pour Marie-France. Voilà que d'un coup l'image de la bête se substitue à celle d'un malade. Oui. Quelle drôle de coïncidence pense-t-elle. Elle vient d'entendre le prénom de sa cousine Nicole, religieuse hospitalière dans une ville du Sud. Elle s'approche de Jacques avec un peu plus de confiance. Il parvient à ouvrir les yeux. Marie-France détourne la tête évitant le regard moribond du visiteur. Elle s'empare brusquement du téléphone.

— N'hésitez pas, lui dit Jacques d'une voix affaiblie. Non, n'hésitez pas. Surtout, pas de pitié. Je ne la mérite pas. Appelez-les, tout de suite. Voilà des heures qu'ils m'attendent dans le brouillard, que montent la garde une centaine de miliciens armés autour d'une civière pleine de menottes. L'ambulance je la vois, remplie de têtes coupées qui se frappent, qui s'insultent, qui se dévorent. Vous pouvez aussi appeler au secours. N'attendez pas que je crève une seconde fois. Je veux me voir saigner sous leurs bottes. Qu'ils ne me fassent pas de cadeau en me bourrant de maïs avant la prochaine vente aux enchères d'esclaves. Ils me prendront, ils me battront, ils me foutront dans le trou une seconde fois. Histoire de vol, de viol, d'assassinat, c'est courant, non? Permettez que je vous présente des excuses.

— Surtout pas, lance Carmen, qui vient s'asseoir près de Jacques.

— Oui, des excuses, poursuit le visiteur. Je ne sais pas comment cela est arrivé. Le canot, oui, le canot. Nous étions deux cents dans le canot. On criait, pleurait, chantait. Les seins des femmes s'aplatissaient, la tête des bébés explosait sous le soleil. Un coup de tonnerre dans le ciel a fait exploser le canot et nous a arraché les oreilles. Nous avons disparu dans les flots. Je le sais, Madame. Je ne peux l'oublier. C'est écrit dans le ciel. Monstre, bête, je le suis depuis la première cargaison de nègres achetés par un planteur de coton. Je suis aussi sale. Oh non! n'avancez pas. Vous allez vomir.

Jacques essaie de se lever. Carmen veut l'aider en le prenant pas les bras. Il remue le corps en signe de refus. La jeune femme le regarde d'un air de surprise.

— Ça me fait mal quelque part, dit Jacques. J'ai mal partout. Si vous pouviez seulement rapiécer mes jambes. Pourriez-vous, un jour, oublier ce visage? Qu'est-ce que ça peut bien faire que vous ayez de la compassion?

On ne lui répond pas. Jacques est à bout de souffle. On a l'impression qu'il n'est pas en mesure d'identifier ses hôtes, que les mots lâchés s'adressent davantage à des ombres aux configurations de squelettes plutôt qu'à des êtres humains. On a l'impression qu'il est replongé dans ses cauchemars par sa façon de pousser des cris plaintifs. On lit sur le visage des deux femmes une certaine déception. Oui. On pensait que la partie était gagnée, qu'une fois retrouvé l'usage de ses membres, Jacques allait les mettre sur une piste capable de les orienter dans leurs efforts pour l'aider. Carmen commence à se poser de sérieuses questions. Elle ne peut s'empêcher de faire un rapport avec ce qu'elle appelle une misérable vie. À chaque fois qu'elle est sur le point de vaincre un obstacle, d'être près du but, de gagner une partie pour laquelle elle s'est fendue en quatre, le destin intervient avec ses dents de requin. Elle fixe Jacques. Nulle trace de vie sur son visage. Pourtant, tout semblait la diriger vers une victoire. Oui. De tous les combats menés jusqu'ici, celui-là revêt pour elle une signification particulière. Il s'agit, en effet, d'un combat pour la vie, plus miraculeux, plus mystérieux que des luttes sociales qui aboutissent finalement à l'ascension d'une équipe d'hommes au pouvoir. Il s'agit d'un combat que même Dieu approuverait dans le *Deuxième Livre de lois* qu'il a soumis aux mortels. La réanimation de Jacques, ce serait sa victoire à elle, le plus grand défi qu'une personne puisse relever, puisqu'il s'agit du passage de la mort à la vie, puisqu'il s'agit d'une complexe opération dans la mesure où il faut recoller entre elles les pièces détachées d'un corps, d'un esprit hors du temps. D'autant plus que cette opération s'est faite depuis des heures sans instruments spéciaux, sans recette médicale, voire avec des incantations de la même substance que celles d'une secte. La façon que Carmen a de serrer les poings, de se plonger les mains dans les cheveux, de se regarder quelques instants dans le miroir; la façon qu'elle a de passer, de repasser la main sur le visage de Jacques montre qu'elle ne veut pas se considérer pour vaincue. On constate le même état d'âme chez Marie-France. Dès l'instant où elle a décidé de ne pas abandonner Carmen avec un étranger, elle a aussi accepté d'aller jusqu'au bout d'elle-même. D'autant plus que, dans son esprit, la réanimation d'un moribond, c'est une espèce de compensation à son dévergondage, selon l'expression de sa mère adoptive. En effet, même si à l'instar des femmes de sa génération, elle a choisi de vivre sa vie sans tenir compte des prescriptions morales de la religion, elle a toujours le sentiment de vivre dans une espèce de souillure. De sorte qu'une action aussi bienveillante que celle-là, c'est tout simplement un moyen de faire pénitence, de se laver aux yeux du Dieu qu'elle n'a jamais été capable de rejeter. Elle fait signe à Carmen de venir la retrouver dans la chambre.

— Une chose est certaine, dit-elle. Ce n'est pas n'importe qui.

— À qui le dis-tu?

— J'ai été vraiment surprise en l'écoutant, poursuit Marie-France. Je parie qu'il vient d'une région où les gens parlent un excellent français.

— Là n'est pas la question, réplique Carmen. L'essentiel est de savoir si nous pouvons l'aider à retrouver son aplomb. J'ai l'impression qu'il est redescendu dans l'abîme, qu'il lui sera difficile de remonter à la surface. Si tel était le cas, je ne pourrais jamais me guérir de mon impuissance. Tu sais, l'échec ressemble au suicide.

— J'ai confiance, moi. On ne se remet pas tout d'un coup d'un terrassement aussi dramatique. Il va, d'après moi, demeurer dans cet état très longtemps.

— J'ai peur, laisse tomber Carmen.

— De quoi?

— De lui, de ma réaction, du monde quoi!

— Si c'était un fou, un homme au cerveau fêlée?

— Dans ce cas, nous n'aurions rien à nous reprocher.

Passent les heures. Les deux femmes se couchent, exténuées de fatigue. Dehors hurle le vent avec une telle force qu'on a l'impression de ployer sous son emprise. Au moment où Marie-France va à la salle de bains, elle entend remuer le visiteur. De son état de moribond, Jacques semble s'accrocher à la vie en jetant sur la jeune fille des regards interrogateurs. Aucun doute là-dessus: pour Marie-France le visiteur revient d'un long voyage; elle hésite pourtant à lui adresser la parole, de peur de le choquer. Elle l'observe assez longtemps. Le voilà qui essaie de se lever. Flanchent les jambes. Il sourit tout en regardant Marie-France.

— Ah, la vieille carcasse. Est-elle définitivement foutue? Il va bientôt recharger ses batteries, ce corps de pouilleux, de malingreux. N'ayez aucune crainte, Madame. Je suis un monstre docile, prêt à exécuter vos ordres. Je ne vous demanderai pas comment j'ai fait pour aboutir jusqu'ici. Il fallait me laisser crever. Vous êtes malade, non, de foutre dans votre appartement une espèce inconnue de votre race. Une espèce dont vous ne pourrez pas vous débarrasser, qui va rester collée, telle une pieuvre, à votre mémoire. Ne vous en faites pas. Je ne fais que passer. Juste le temps de vous voler un peu de chaleur, oui, un peu de chaleur. J'ai froid, à en crever.

Jetant un coup d'œil du côté de Carmen qui vient de se réveiller, il ajoute:

— Ce ne sera pas long, Madame. Vous voudrez bien m'excuser. Je commence à me sentir un peu mieux. Bon Dieu! que j'ai mal.

— Prenez votre temps, dit Carmen.

— Que vouliez-vous, non, que faisiez-vous dans l'immeuble? dit Marie-France d'une voix très ferme. Vous cherchiez quelqu'un? Vous vous êtes trompé d'adresse? Le concierge peut vous renseigner. Voulez-vous que je l'appelle? Un de vos amis doit habiter le quartier, je suppose. Vous êtes venu le voir?

— Ami, dit Jacques, un peu dérouté. Ce mot a-t-il encore un sens?

— Alors, poursuit Marie-France. Il fallait faire

quelque chose. On vous a traîné jusqu'ici. Cependant nous ne vous connaissons pas. D'accord, on a pris un risque. Il ne s'agissait pas de gloser sur l'état d'un homme qui côtoyait la mort et que nous avons trouvé dans le couloir, le corps soumis aux derniers souffles. Nous voudrions quand même savoir... avoir plus de détails... Oui, savoir si nous sommes sur le bon chemin, si votre présence ici ne va pas nous causer des ennuis. Bien que nous ne soyons pas riches, nous pouvons quand même vous donner un peu d'argent.

— De l'argent, réplique froidement Jacques. Ah, oui. Aider. Ai-je vraiment besoin d'aide? De quelle forme d'aide? De quelle nature? Je les vois déjà grincer des dents. Un enfant, diront-ils. Il faut le prendre par la main pour l'amener faire ses besoins, lui mettre la cuiller à la bouche, changer ses couches, lui laver les cheveux. Oui, c'est ça. Aider jusqu'à la déconfiture, jusqu'à la perte de son autonomie, de son indépendance.

— C'est vrai, renchérit Carmen. Nous nous sentons mal à l'aise. Peut-être quelques informations sur vous dissiperont nos troubles, nos craintes et nos incertitudes. Bien sûr que nous n'attendons pas de vous un récit détaillé de votre vie, que nous ne voulons pas vous connaître au sens de fouiller la personne, de gratter son esprit et de mettre son âme dans une cage.

Jacques serre les dents ainsi que les poings, le souffle coupé, les jambes tremblantes. On le voit se tordre sous la douleur d'une crampe à l'estomac. Carmen détourne les yeux en serrant elle aussi les poings. On dirait quelqu'un sur le point d'exploser. Marie-France baisse la tête, évitant le fade regard de Jacques. Après quelques minutes de silence, Carmen enchaîne:

— C'est difficile à comprendre. Que voulez-vous? Même si je le voulais, je me trahirais en quelque sorte. Je renierais mon serment. Oui. J'ai juré de ne plus chercher à connaître des hommes.

— Suis-je un homme, répond Jacques, à voix basse. Désolé, Madame. Je n'ai rien d'un homme. Rien, vous entendez. Dans quelques instants s'amènera la fourgonnette avec de vrais hommes. Ils n'auront qu'à lever le petit doigt pour faire mugir le fleuve. La fourgonnette, vous connaissez? Cette espèce de boîte à plusieurs compartiments. On vous jette là-dedans de la même manière qu'on le faisait dans les négriers. J'étais justement ce matin dans une fourgonnette, la tête rasée, les mains menottées, les jambes enchaînées. On l'eût prise cette fourgonnette pour une caravelle tellement ça filait à une vitesse folle à travers la ville. On avait l'impression qu'elle renversait tout sur son passage. J'ai regardé à travers le grillage. Les enfants ne chantaient plus. Les êtres s'amincissaient. À l'intérieur, les hommes faisaient la grosse besogne, un pied sur mon cou, des mains à ma gorge. J'étouffais. Voilà, Madame. C'est ça, de vrais hommes. Les seuls qui possèdent la technique d'amener un sous-homme à faire le chien devant monsieur le policier, à traverser, en rampant, une suite ininterrompue de collines superposées au fleuve.

— D'ailleurs, peu importe votre nature, dit Carmen. C'est vrai. Qu'est-ce qu'un homme? Un mot sur lequel butent toutes les femmes qui ont mal dans leur chair. Seulement, j'aimerais comprendre...

— Quoi? interrompt Marie-France.

— Non, coupe Carmen. J'ai décidé de ne pas vous interroger.

— D'ignorer ma présence, répond Jacques, alors que ma sale binette soulève en vous un tas de questions, que vous vous demandez pourquoi lui ici, près de moi, pourquoi cette espèce de... pas celui que j'avais fabriqué au fil des ans, à qui j'avais donné les formes d'un ange, la grâce du diable.

— Oui, répond Carmen, un peu rêveuse. Je crois toutefois deviner votre histoire. On la trouve sans aucun doute à l'origine du monde. C'est le même mouvement de la pendule, à droite, à gauche. En tout cas, de la manière dont vous parlez, vous n'avez pas du tout la tête d'un bandit.

— Et je l'étais, réplique Jacques.

— Cela ne me concernerait pas, dit Carmen.

— Indifférente à ce point, Madame?

— Non, réaliste.

— Moi, dit Marie-France, j'aimerais savoir pourquoi vous avez frappé à la porte de cet appartement, non à une autre.

Jacques ne répond pas. Les yeux au plafond, il continue de grelotter. On lui met sur le corps une couverture plus épaisse en attendant le séchage de ses vêtements usés. Carmen s'absorbe dans ses réflexions sur la situation. Normalement, pense-t-elle, elle aurait dû manifester plus de joie face à la réanimation de Jacques. Ça fait des heures qu'elle attend ce moment, moment suprême, entre tous, où un moribond sans médicaments, sans aucune communication avec un être supérieur, immatériel, se retrouve en vie. Oui. Jacques paraissait cliniquement mort. Le corps ne répondait à aucune vibration de l'extérieur. Sa respiration avait presque disparu. Elle ne s'est pas trompée. On observait un homme sans âme, un légume sur le sofa. Alors quelqu'un, quelque part, a daigné agréer ses prières. Autrement, ç'aurait été la damnation, la malédiction éternelle. Qu'à cela ne tienne. Voilà qu'elle se retient, qu'elle empêche sa joie d'exploser, son âme de s'élever vers des sentiments d'amitié. Sans doute s'accroche encore à son esprit, cette espèce d'araignée qu'elle se plaît à appeler les flammes de la contradiction. Oui. La contradiction, ce genre d'abîme où l'on se perd, qui vous empêche de mettre une étiquette sur votre identité, cette espèce de monstre dans la caboche chaque fois qu'on décide de poser un acte hors du commun, de parler à son Dieu, de laver ses péchés, de tomber dans les bras d'un être aimé, désiré, chaque fois qu'on décide de sortir de l'ombre pour ouvrir les fenêtres de son cœur sur l'aube naissante. La contradiction, l'impossibilité de porter son choix sur la centaine de figures autour de soi dans la forêt, de hurler sa haine contre son pays blanc qui s'est permis de participer à un blocus naval contre un petit pays noir; la contradiction, ce vers qui vous traverse la cervelle au moment où vous tendez la main pour recevoir un papillon porteur de la rosée du paradis; oui, la contradiction, l'incapacité d'étrangler tous ces crétins qui vendent des nègres de service à un peuple bon enfant. C'est ça la contradiction qui donne envie de se couper une veine plutôt que de regarder passer la machine de l'oppression, pense Carmen. Bien sûr qu'il faut s'endurcir, sans renoncer pour autant à la manifestation, à l'expression de ses amours, de ses désirs. Bien sûr qu'on peut prêter le flanc à la critique sans la maîtrise des éléments affectifs de la conscience, qu'on peut se laisser aller vers l'autre avec une telle légèreté, une telle complaisance qu'on risque de passer pour une femme légère. Oui. Seulement, la femme en elle ne cesse de l'interpeller. C'est peut-être au nom de cette femme que Carmen voudrait revenir à son état premier, porter cet être dans sa matrice, s'il le faut, pour ne pas encourir quelque sentence d'excommunication.

— Que j'ai mal, mon Dieu, laisse échapper Jacques.

— Où? demande Marie-France.

— Partout, Madame. Partout, répond Jacques. J'ai honte, aussi.

— De quoi? demande Carmen.

— De vous avoir imposé ma présence, ma laideur.

— Vous vous méprisez à ce point? dit Carmen.

— C'est plus que le mépris, répond Jacques en contractant ses muscles. Pour se mépriser, il faut pouvoir se haïr. Je n'ai même pas la force de me haïr.

Il boit goulûment une tasse de café au lait que lui sert Marie-France.

— Je ne peux pas vous cacher mes émotions, dit Carmen. Bien sûr, au fond de soi, on rêve de connaître, de vivre la différence, de l'apprivoiser, de l'apprendre aussi. Il y en a qui le font par témérité, d'autres à cause des circonstances. Ici, dans ce pays, malgré la libération artificielle des mœurs, malgré l'éclatement sexuel dans nos médias, les discours anarchiques de nos universitaires, malgré la liberté d'expression, toute cette espèce de bouillonnement d'idées, malgré tout ça, on ne nous laisse pas le soin de choisir des étrangers noirs qui contredisent des Blancs, qui s'imposent, qui les regardent dans les yeux sans baisser la tête. Oui, cette vaste, cette complexe question de différence, la vôtre, par exemple, la mienne… À elle seule, cette différence est un traité de philosophie, une somme morale. Oui. Cette différence engendre tous les jours chez ceux de ma race des sentiments de culpabilité. Faudra-t-il un jour payer pour les propriétaires de négriers, les bourreaux d'esclaves, les assassins de la vertu? Faudra-t-il un jour payer pour les rois nègres à qui nous donnons le pouvoir de vous massacrer, de voler vos biens, de partager le butin avec les pervers de ma race? Sans doute, commence-t-on à payer. La preuve, c'est que vous vous êtes introduit dans l'immeuble, sans carte d'invitation. Je tremble encore, moins pour vos souffrances que je partage, que je comprends, que pour la trace de votre présence, de votre passage dans ma mémoire. Oui, monsieur. Finie la femme simple. Je devrai dorénavant vivre avec votre souffle coupé, vos odeurs nauséabondes, vos regards de moribond. Tout cela va s'incruster dans mon univers affectif, tel un scorpion. Oui, monsieur. Vous êtes désormais un pan de ma vie, peut-être encore plus solide que je n'aurais imaginé. Je me demande même si quelque téméraire de ma race ne vous a pas inventé, s'il n'y a pas une onde nocturne qui nous aurait traversés, d'aussi loin que nous étions, l'un de l'autre. Pourtant, la réticence montre ses griffes. La logique, on dirait, empêche l'entrée d'une bonne bouffée d'air frais dans ma caverne. Ne vous en voulez pas. Je ne crois pas que nous sommes prêtes à vivre la différence, avec les livres que nous avons lus, les musiques qu'on nous apprend à écouter. Je ne le crois pas, même avec notre meilleure volonté, notre sensibilité de femme doublée d'une curiosité parfois géniale à affronter des inconnus, à braver la différence. Je serai vraiment obligée de me faire violence.

— Pourquoi, Madame? demande Jacques.

— Parce qu'au fond, dit Carmen, tout se ramène à des questions sur l'inconnu, l'improviste.

— Non. Pas nécessairement à des réponses toutes faites, ou à des procès.

— Évidemment, répond Carmen. Alors, revient la question de mon amie: pourquoi votre corps s'est-il cogné contre ma porte, non contre une autre?

— Pourquoi faut-il l'aurore ainsi que le crépuscule pour enfanter le jour? Ça fait longtemps que je suis chez vous? demande Jacques.

— Douze heures, exactement, répond Marie-France. J'habite, moi, au deuxième étage. Quand je suis descendue, vous étiez dans le couloir. Vous respiriez à peine. Vous n'étiez plus de ce monde. Je voulais appeler la police. Carmen s'y est opposée. C'était la solution puisque je ne voulais pas être la complice de qui que ce soit. Carmen avait raison. Rien ne fonctionne. Morte la ville. Heureusement, le miracle s'est accompli. Vous avez repris vos esprits, petit à petit.

— Vous m'avez ramassé avec un couteau dans la main, n'est-ce pas? Il y avait aussi une valise qui contenait une centaine de cartes postales que je devais envoyer à mes compatriotes pour leur annoncer ma candidature à la présidence de mon pays.

Souriant aux dames en leur montrant qu'il est plus détendu, Jacques parvient à se lever, péniblement. On dirait que, tout à coup, il vient de découvrir sa nudité. Il hésite à se revêtir des mêmes haillons. Il semble retrouver un petit air fringant avec son veston troué, sa chemise rongée par les mites. Il se met à marcher, en boitant. On sent qu'il a envie de quelque chose, de la manière dont il regarde la table à manger. Marie-France ne se fait pas prier. Elle l'invite à partager leur pot de limonade. Encore un peu, il avalerait le verre, tellement il avait un grand goût de boire quelque chose. Gêné par le bruit des gaz à l'estomac, il se donne de gros coups de poing au ventre tout en s'excusant.

Les derniers mots de Jacques rendent Carmen confuse: candidat à la présidence. Elle n'en revient pas de cette déclaration. Il y a, semble-t-il , une partie fêlée de la cervelle du visiteur, bien qu'elle eût voulu qu'il en soit autrement, ne fût-ce que pour savourer la gloire de deux femmes qui viennent d'accomplir un exploit. Marie-France est aussi intriguée, quoique peu familière avec les langages politiques des républiques francophones hors de son territoire. En effet, la notion de président de société, d'organismes, de clubs sociaux est loin d'être l'équivalent d'un haut poste politique.

Carmen examine Jacques, du coin de l'œil. Elle ne veut pas lui donner l'impression de l'observer attentivement.

— Ah, oui, j'y suis, lance Jacques, s'appuyant sur le piano. C'est ça, une meute de chiens à mes trousses. Aussi sales que leurs maîtres, les blancs assassins qui les lançaient à la poursuite des nègres marrons dans les montagnes, des Juifs dans les lagunes de la Pologne, aussi méchants que leurs propriétaires, les Blancs qui faisaient manger de la terre aux jeunes esclaves, au moindre geste de lassitude dans les plantations de coton. Oui, c'est ça, des chiens-cochons, des chiens-loups, des chiens gratte-ciel, des chiennes poupées aux joues roses, des chiens chevaliers dans leur cadillac-corbillard. Je n'aimerais pas vous voir sur la piste de ces chiens. Vous en voudriez à votre Dieu, à votre père, à votre mère. Vous maudiriez le jour de votre naissance parce qu'on vous aurait forcées à vous faire lécher la peau par des bêtes qui auraient dû, à l'instar des boucs, rester loin des humains après en avoir reçu les péchés, parce qu'on vous aurait forcées à engraisser des animaux maudits, à les parfumer de jasmin, de lilas, à les vêtir de satin, à ramasser leurs excréments dans vos foulards de soie pendant que des multitudes affamées meurent de désespoir. Des diables aussi étaient lancés à mes trousses, aussi méchants que les chiens, aussi galeux que les bourreaux qui nourrissent ces chiens-là, des diables de toutes les formes, diables maquereaux, diables souteneurs qui substituent à la traite des négresses l'esclavage des Blanches, qui font connaître aux Blanches les mêmes souffrances, les mêmes peines que les mamas violées dans la case de l'ONCLE TOM, dans l'atelier de Monsieur John, le gros Blanc de Virginie. Je ne me suis pas laissé avoir. Je me suis défendu tant bien que mal en me rappelant constamment les conseils de ma grand-mère. Elle disait qu'aucun diable, dans ce monde, n'est immortel, que même avec ses oreilles de fusées, ses cornes de laves volcaniques, ses pieds de plomb coulé dans le corps des prisonniers, sa queue en dents de requin dans la chair des bébés asiatiques, même un diable avec tout ça, l'homme peut le pulvériser. La femme peut l'anéantir avec la force et la tendresse quand il le faut. À condition de ne jamais chercher à savoir pourquoi le soleil se lève à l'est, pourquoi Dieu a décidé de s'absenter des guerres entre les peuples.

«J'ai lutté contre eux, corps à corps, encore plus rageusement que contre un tigre, un lion, un maquereau, encore plus rageusement que contre l'idée de la pureté, la morale empoisonneuse des aristocrates déchus. Ensuite, j'ai traversé la ville de l'est à l'ouest, du nord au sud. J'avais l'impression d'avoir les rues à moi tout seul, d'avoir brûlé sur mon chemin tout ce qui pouvait ralentir ma course. J'avais l'impression que même Dieu s'était mis de mon côté en exterminant ces espèces de monstres à visage d'homme que dérangent énormément des types de mon espèce quand ils décident de se faire héros avec seulement pour arme des mots griffonnés sur du papier rose. J'ai donc traversé la ville. Quelques minutes plus tard, avant que le soleil devienne un toit recouvrant les collines, je me suis trouvé sous le pont Mirabeau. Là, j'ai allumé un feu de bois. J'ai également invité les esprits qui rôdaient autour du pont à venir danser autour du feu. Oh, mon Dieu! Que j'étais heureux. J'avais fini par réaliser un grand rêve, l'union d'un mortel avec des immortels dans un espace à la fois de métal, d'eau, de feux follets. Ensuite, j'ai traversé le fleuve. On eût dit un poisson-comète, tellement ça filait à une vitesse jamais enregistrée dans la ville. Des spectateurs, des deux côtés du fleuve, applaudissaient à l'exploit. Je me suis ensuite retrouvé à la rue Musset dans un bistrot où un poète maudit débitait des rengaines sur tout ce qui lui passait par la tête: les filles, la religion, l'État, la morale. Ses phrases n'avaient aucune substance. Les mots semblaient jetés au hasard dans un panier de crabes. Quant à ses images, c'étaient des bouts de phrase qu'on aurait pu mettre dans la bouche d'un détraqué. Un mot collé à un mot, un adjectif collé à un adjectif, un verbe à un verbe, un adverbe à un article défini. J'avais envie de l'étrangler, de dire à ce monde imbécile qui l'écoutait qu'il ne méritait pas le titre de poète, que la poésie est un chant, faite pour être dite, qu'il se faisait appeler troubadour intellectuel des bistrots uniquement dans le but de soutirer à l'État quelques chèques d'assistance sociale. Vous ne savez pas à quel point je hais ce type de poètes. Ils se font appeler poète aussitôt que leur mère les a abandonnés en amont d'une rivière, que leur père s'est fait décapiter au grand dam des bourgeois de la ville. Oui. Les poètes m'emmerdent, pas les troubadours des villages, pas les grenadiers à l'assaut, pas les journalistes-fouineurs. Ce poète-là, j'avais vraiment envie de l'étouffer. C'est drôle. S'il m'avait regardé, je crois que je lui aurais montré le poing pour faire passer ma rage, pour venger aussi un peuple qui croit à la magie des mots, non à la force de l'âme, non à la grâce de Dieu! Le mauvais poète ne me regardait pas. Plutôt non. Il évitait mon regard, sachant que dans la foule se trouvait un homme qui possédait la magie des mots, la musique des mots, qu'il pouvait, lui, en une phrase, déconstruire tous les poèmes qu'il avait dits. Oui. Il a foutu le camp, le mauvais poète, pour céder l'estrade à un chanteur de grande qualité, un ténor du type basané. Oui. C'est exactement ça. J'ai pris un café. Je n'avais pas un sou pour le payer. Une âme charitable s'en est chargée. Que son âme repose en paix. J'ai croisé un Nègre. Il avait l'allure d'un compatriote, celui que j'ai vu un soir à la télévision et qui profite de violentes concurrences entre les travailleurs de la plume pour mettre dans sa poche tous les journalistes naïfs qui l'ont rendu célèbre; j'étais loin de penser que je rencontrerais un compatriote dans ce coin de la ville. D'ordinaire, m'avait-on laissé entendre, ils préfèrent crécher à l'ouest, là où personne ne peut les reconnaître, là où leurs enfants peuvent se blanchir à l'abri des regards hypocrites. Pour des raisons que je ne saurais vous expliquer, les yeux de ce Nègre me foudroyaient. Il était plus nègre que moi, moins ange que moi. Je n'aurais jamais pensé de ma vie rencontrer un Nègre qui n'arrive pas à la hauteur de ma réputation, qui ne soit pas un cavalier au talon pourvu d'un éperon. Que venait-il faire dans ce bistrot? Tant de choses le séparaient des artistes qui étaient là: la sensibilité, l'art de découper l'horizon, de siffler au passage d'une coquette demoiselle, de parler en gueulant, de manger en chantant. Oui. Tant de choses le séparaient des hommes dans ce bistrot, des femmes aussi. Ça y est, me suis-je dit. Il va commencer à les courtiser, à leur faire des propositions, à leur mentir sur leur forme, la couleur de leurs yeux, la minceur de leur bouche. Ah! si seulement les Nègres pouvaient se faire une raison, vivre librement, sans attache à aucune race qui leur crache dessus; si seulement les Nègres pouvaient descendre au fond des mers, main dans la main avec des femmes noires faites à leur image, à leur ressemblance. Si seulement ils pouvaient vivre sans cette espèce de déesse blonde logée dans un coin de leur caboche, qui les rend fous, fous, fous, on serait respecté des nègres à la peau blanche. Je délire, voyez-vous. Le vent hurle. Mort le soleil. Les ombres doucement nous envahissent. Le ciel doucement nous engloutit. Oui. Si seulement ces peuples de Nègres pouvaient, une minute, une seule minute, se prendre en main en se foutant carrément des maîtres blancs, des Christs blancs, des Seigneurs dont le cœur bat chaque fois qu'un petit Nègre décide, avec les moyens du bord, de mettre la mer dans sa poche, d'étrangler les races carnivores, de faire plier le ciel au son de sa voix rauque, au bruit de ses pas sur la terre glaise.

«Alors, tout a commencé dans le bistrot, non, près du bistrot. Les diables m'attendaient sur le trottoir. Colonnes de dix, de vingt, de trente. Ceux qui étaient à la tête du peloton formaient une espèce de cercle. Moi, là-dedans, avec ma grand-mère, un oiseau, un cheval. Plus les diables me faisaient des grimaces, plus le cercle s'élargissait. Plus le cercle s'élargissait, plus je devenais fou. Alors, j'ai crié. Je me suis mis à courir. J'ai couru toute la nuit. J'ai couru aussi ce matin. Mort après des heures de course sous la pluie, sous la neige, sous le soleil. Je n'avais plus de jambes, ou plutôt elles refusaient d'être mes complices. Mes oreilles aussi ont cédé au vent ainsi qu'au froid, fendues en plusieurs morceaux. Il faut vous dire que j'avais aussi faim. Cela faisait des jours que je n'avais pas mangé. Dans cette prison dorée où l'on cherchait à me convaincre que je suis un fou, la nourriture servie était pleine de pourritures: pilules douces, pilules amères, moustiques mâles, moustiques femelles, fourmis roses, fourmis carnivores. Vous voyez! Je retrouve mes esprits, tranquillement. Oui. Je me souviens. J'ai atterri dans cet immeuble à cause du vent. Je l'avais déjà noté dans mon carnet de points de repère, en cas d'une attaque nucléaire déclenchée par les ennemis des Nègres. Il a la forme rectangulaire de mon ventre. J'y suis entré, sûr que j'allais tomber sous les pattes de quelqu'un. J'avais froid, même si dans ma tête se consumait une torche enflammée. C'est à ce moment-là que j'ai entendu la voix d'une femme, que j'ai vu, oui, c'est vous, votre image à travers une fenêtre de mon esprit. Les gigolos ne comprennent rien. Ils devraient baisser pavillon puisque c'est très fort une image de femme sur l'écran de la mémoire, plus fort que la puissance des fabriquants de négriers, de la poudre, du canon, des fusées atomiques. Oui. Plus rapide l'image d'une femme dans l'esprit d'un homme que la course des aigles dont chaque geste est un prélude à la mort de mon peuple. Oui. Une image de femme, plus belle que la chair, plus puissante qu'une rivière en colère, la seule réalité qui vous fait prendre conscience de votre faiblesse quand vous daignez bien questionner cette bête immonde qu'est la logique. Oui. Vivre en images, penser en images pour embrasser le monde dans sa totalité, pour libérer l'esprit de notre poubelle de corps.»

Jacques est trempé de sueur. Les deux femmes l'écoutent religieusement alors qu'il continue à trembler, à se tordre à cause de crampes au ventre. Sa voix portée par on ne sait quelle force de l'intérieur prend plusieurs couleurs sur la gamme, de cassée à chevrotante, de sourde à aiguë. À maintes reprises, on le voit fixer du doigt soit Carmen, soit Marie-France, de manière à les incorporer dans son discours, d'en faire les complices d'un rêve qui ne donne pas envie de dormir. Les lancées apparaissent, elles aussi, mesurées, équilibrées, produites par une imagination qu'on ne cherche pas à freiner. À chaque fois qu'il met en scène un être surnaturel avec des personnages hideux qui le harcèlent, qui le narguent, son visage prend une expression parfois dramatique, parfois ironique. Quant aux femmes, elles demeurent haletantes par ce discours inattendu. Si elles se perdent dans un langage aux séquences incohérentes, aux mots à double sens, elles sont, en revanche, envoûtées par la prosodie de Jacques, par son rythme, par ses images. Même si son niveau d'instruction n'est pas aussi élevé que celui de Carmen, Marie-France est émue par les paroles du personnage. Moins pour leur force de persuasion que pour leur harmonie. D'où ses élans de joie, chaque fois qu'elle trouve une référence à certains mots du visiteur.

Plus significative est la position de Carmen, rouge d'émotion. Ses yeux sont pleins de larmes.

Elle vient de découvrir quelque chose qu'elle n'attendait pas, un charme singulier qui semble tirer de son origine, voire de sa force, des ressources que l'on a au fond de soi. En écoutant l'étranger, elle comprend pourquoi elle demeure sensible à la force de l'esprit. Certes elle aurait aimé de la part de Jacques un langage, sinon plus direct, du moins davantage informatif. Bien sûr qu'elle a pu déceler dans ce flot de mots quelques points de repère qui l'aident à le situer. Elle se demande toutefois si sa réplique doit avoir la même charge esthétique pour rendre vivante une communication entre deux étrangers. Par ailleurs, elle ne peut s'empêcher d'éprouver à l'égard de Jacques quelque chose qui ressemble à un profond sentiment, quoique encore diffus, ne fût-ce que pour la passion avec laquelle cet homme raconte des épisodes de sa vie. Jacques, en effet, lui rappelle un poète entendu un soir dans un club de la ville, fréquenté uniquement par des artistes. Le ton ainsi que le rythme de ce poète avaient été si intenses qu'elle en était restée possédée durant des semaines, bien qu'elle n'ait pas été capable de décoder la majeure partie de son discours. Toutefois, c'était la passion du poète qui l'envoûtait. Plus que sa passion: une espèce de transe seulement commune à des êtres qui semblent se libérer de la matière pour des voyages dans l'inconnu. Oui. Jacques lui rappelle ce poète de son pays. La même émotion sur le visage, sans les gestes, sans le regard. La même passion pour les mots qui ressemblent à des grains de sable, le même goût des constructions qui semblent n'avoir aucun lien avec l'ensemble, avec le contexte. D'ordinaire, elle demande des précisions quand son esprit ne saisit pas d'un coup. Elle aurait même demandé à Jacques d'être plus clair dans la narration de certains faits, qu'elle assimile davantage au cauchemar qu'à des éléments de la vie vécue. Seulement, pense Carmen, le langage peut être autre chose qu'une équation algébrique, autre chose qu'une opposition de sens dégagée par des êtres, des choses, des objets animés, inanimés, autre chose que l'opposition de mots dépouillés de leur saveur poétique. Oui, pense Carmen, le langage, ce sont aussi les cauchemars qui vous perturbent le sommeil, qui vous fendent la cervelle au réveil, qui vous donnent des palpitations au cœur toute la sainte journée. Le langage, pense Carmen, ce sont aussi des lianes, toutes les lianes sauvages de la jungle qui s'entrelacent dans votre esprit au point de le sucer, de le vider de toute sa substance, de vous rendre prisonnier de votre carcasse. Oui, pense Carmen, le langage, ce sont tous ces petits riens de la vie que vous ne pouvez nommer, faute de mots appropriés, tout ce qu'on vous propose de faire contre votre Dieu, contre vous-même. Oui, pense Carmen, le langage, ce sont des formes sans formes, une mouche sans ailes, un rêve inachevé.

— Voyons un peu, dit Carmen.

— Oui, tranche Jacques. Étranger, pourquoi pas aussi clochard, ange, démon, tout ce qui sert à nommer des sous-hommes, des rebuts d'un système, des excréments d'un système.

— Je n'ai pas encore trouvé le mot pour vous identifier, dit Carmen.

— Ça viendra avec le temps, répond Jacques. Vous-même serez surprise par la manière dont il jaillira de votre esprit. Après tout, c'est le propre de votre race de donner un signe, une couleur à chaque être qui émerge du néant.

— Je ne suis pas ma race, Monsieur, tranche Carmen. Je ne parle pas non plus au nom de ma race.

— D'autres l'ont déjà dit. D'autres le disent à l'instant même où je vous contredis. Pourtant...

— Pourtant...

— Pourtant, cela ne les empêche pas de nous renier au premier signal d'apocalypse.

— Vous avez donc entendu ma voix, insiste Carmen. Vous avez vu mon image?

— Oui. J'ai perdu connaissance après quelques minutes.

— Donc, j'étais pour vous une proie facile.

— Pas exactement.

— Vous dites? Si la voix entendue, si l'image

74

observée avaient été celles d'un homme, votre corps aurait-il cogné contre la porte?

— Je n'ai plus rien de commun avec les hommes, répond Jacques. Ils m'ont tout volé, Madame: ma jeunesse, mes rêves, mes premières amours. Ils m'ont humilié, terrassé, torturé. Ils m'ont fait manger mes excréments, fait faire des saloperies avec un chien, un vieillard sans dents, un bourreau de prison distributeur de maladies vénériennes. Ils ont fait leurs besoins sur mon ventre pendant que dix d'entre eux violaient ma mère, une femme de soixante ans, devant moi. Oh non, Mesdames! Ne rougissez pas. Ne rougissez pas, s'il vous plaît. Quand ils ont eu fini de me réduire en bouillie, ils m'ont dépouillé de ce à quoi je pouvais m'accrocher: ma liberté, ma dignité. Ils ont fait de moi un mouchard, un délateur, l'assassin de mon frère. Les hommes, qu'attend donc le ciel pour les flamber! Tous, vous m'entendez?

— Vous avec eux, lâche Marie-France.

— Oui, Madame, répond Jacques. Moi aussi. Je propage la peste, moi aussi. Je pollue votre espace, moi aussi. Oui. Je pue. Je saigne, à l'instant même. Ce serait trop facile de me démarquer des hommes. Oh non. Homme, moi aussi, intéressé au pouvoir. Le pouvoir, le connaissez-vous? Celui du mensonge, oh oui, faire croire qu'on est un clochard pour que la sainte société blanche se sente culpabilisée et vous ouvre les portes des médias électroniques; le pouvoir, celui de passer pour un écrivain plagieur des idées des autres et, surtout, pour le fou du roi à qui l'on permet de dire toutes les bêtises, même à un peuple qui fait de lui un prophète à la gueule de caoutchouc. Donnez-moi des fusées, je vaincrai avec le même sadisme les races concurrentes, les peuples concurrents. La vérité, Madame, c'est que quelqu'un s'est trompé en faisant de l'homme le major général des espèces.

— Bien sûr. Je vous suis, dit Carmen. Sauf que nous ne saignons pas au même endroit.

— Les blessures sont les mêmes pour toute chair qui comporte une âme, réplique Jacques, quel que soit l'endroit où pénètre la flèche. La différence réside dans la capacité de souffrir. Ça fait longtemps que j'ai fait le plein de la douleur. Vous, vous n'avez même pas encore atteint les marches de la première station.

— Qui vous le dit? demande Carmen.

— Vos regards, vos ongles rosés, vos rouges lèvres. Quand vous avez dans la cervelle un serpent venimeux, vous n'avez pas la force de vous laver, ni même d'attraper les poux qui s'en donnent à cœur joie dans vos cheveux. Oh non! Je ne délire pas, Madame. Je vois encore des prisonniers dans la cour de la prison. Les chiens sont en train de dévorer une testicule fraîchement arrachée d'un rebelle. Une femme, arrêtée hier soir, accouche d'un enfant dans une cellule.

— Assez, Monsieur. Assez! crie Carmen.

— Je vous fais mal, dit Jacques.

— Oui, vous me faites mal. Vous n'avez pas besoin de me parler de vos plaies.

— Les connaissez-vous, Madame?

— Nous ne sommes pas encore arrivés là.

— Vous ne voudriez pas savoir pourquoi j'ai été produit par l'île aux Requins?

— Ça existe encore dans le monde? Je croyais qu'elle avait disparu dans la dernière explosion produite par des démons.

— Tout le monde en parle, parfois avec des sanglots dans la gorge. Tels ces Jésuites qui ont été chassés du pays par les autorités. On en parle aussi avec un certain désintéressement. Toutefois, depuis une semaine, la presse du pays en fait son sujet de prédilection. On avance même que la situation se complique de plus en plus, que la barbarie frappe à toutes les portes, que des réfugiés en masse périssent dans la mer.

— Je me demande, dit Carmen, si je n'ai pas été matraquée par la propagande en vous retirant du couloir. Je suis persuadée que je ne l'ai pas fait par charité. Je n'aime pas la charité. Ça fait trop de lâches dans ce monde. Par instinct, oui, celui qui vous pousse vers l'autre sans que vous vous posiez des questions inutiles.

— Vous avez eu tort de le faire. On ne sort pas de sa merde une charogne, le mouchard de son frère, le produit d'une écurie, même si cela doit vous faire gagner votre paradis.

— J'ai cessé d'y croire, Monsieur, dit Carmen.

— Vous perdez, dans ce cas, le seul espace où l'âme peut vagabonder sans rencontrer d'obstacles. Voyez-vous, en ce moment même, je me sens au paradis, le mien, le vôtre, celui aussi de votre amie, cet air de béatitude sur votre visage qui me rend serein. Seulement, je persiste à croire que vous avez été téméraire en introduisant un autre couteau dans vos plaies.

— Peut-être, répond Carmen. Vous laisser mourir cependant dans le couloir n'aurait en rien réglé mes problèmes personnels. Votre cadavre aurait été à mes trousses, au bureau où je travaille, dans ma chambre à coucher, même dans ce coin de l'église où je persiste à chercher Dieu malgré son silence dans mes déboires, malgré son refus d'intervenir dans mes lamentations. Tout cela aurait quadruplé mes cauchemars. Oui. J'en fais toutes les nuits. Savez-vous ce dont je parle? De ces regards de brute sur vos jambes, de ces pattes d'animaux dans votre corsage qui vous pulvérisent les seins, de cette langue de vipère au creux de vos oreilles, de ces mains poilues qui vous réduisent en pâte à modeler. Oh non! Je n'aurais pu vivre avec un cadavre constamment dans la tête, même avec l'image de sa mort probable.

— Voyons donc, Madame! Vous appelez ça être vivant, un enfant de cochon, une loque sous les ponts, un zombi égaré? Non. Je suis bien mort, Madame.

— Pas encore, répond Carmen. Il vous reste au moins le pouvoir d'attirer sur vous la compassion sur votre état. Quand j'ai ouvert la porte, mon cœur battait si fort que je n'ai pu me tenir sur mes jambes. Vous étiez si loin de moi, si loin du monde où je me meus. Seulement, en dedans de vous, il y avait encore une vie qui ne voulait pas s'éteindre. Je sentais que vos convulsions reflétaient une personne qui doit aimer la beauté, le bonheur, que c'est peut-être ça qui vous distinguait des autres. Croyez-moi. Il y en a qu'on ne voit même pas. Ça fait longtemps que vous êtes au pays?

— Je ne sais pas. Je ne sais vraiment pas, Madame. On dirait que le temps est devenu une espèce de nébuleuse dans ma caboche, une sorte d'acide dans lequel la mémoire s'est désagrégée. Tout ce dont je me souviens, c'est cette saloperie de monstre dans l'espace. Je grelottais de froid là-dedans. J'avais peur de croiser les zombis de mon chef. Par moment, à travers les hublots de l'appareil, l'ombre de mon frère me faisait des signes bizarres. Je devine que tant de choses ont dû se passer: de l'atterrissage de l'appareil près du fleuve aux concerts cacophoniques de ma prison d'aujourd'hui. Les visages aimés ont disparu. Ils s'appelaient Myrna, François, Max, Germaine. La camisole de force a remplacé le gros tablier de mon père sous lequel je me blotissais quand les démons envahissaient les rues de mon quartier. Les collines enneigées du pays ont effacé devant moi les plaines jonchées de fruits. Les hurlements des sirènes se sont substitués aux cris d'oiseaux. Tant de choses, Madame. Je ne crois pas que je viens d'un pays. Qu'est-ce qu'un pays? C'est un mot sur lequel on peut mettre un tas de choses: livres, canons atomiques, blattes, morts sans sépulture, mendiants, criminels. Je viendrais plutôt d'un espace sans identité, ou plutôt, j'ai perdu quelque part mon acte de naissance. Tant mieux. Aucun compte à rendre sur la manière dont je foule le sol, sur mes désirs, sur ma croyance au Dieu des tonnerres, sur l'amour qui me prend tous les jours quand je vois des écureuils courtiser des troncs d'arbres. Oui. Quand vous dites pays, on s'attend à tant de choses de votre part: la logique de votre sexe, l'histoire des maladies de votre famille, la couleur des yeux de votre mère, le chant guerrier des paysans quand ils sont coincés dans leurs cases, qu'ils voient des intemporels faire main basse sur leur récolte.

Carmen est bouleversée, la tête dans ses mains. Elle est assez forte quand même pour dissimuler le choc que continue à produire chez elle le discours de Jacques. La voilà à un moment important de la rencontre avec le visiteur, un moment qui va la conduire vers une étape non prévue de sa vie. Plus elle écoute l'étranger, plus elle se rend compte de la complexité de la question identitaire. Qui est ce monsieur près d'elle, en elle, désormais fragment de son espace intérieur? Un fou, un visionnaire, un détraqué, un bagnard, un mouchard, un prétentieux qui se gonfle tellement qu'il lui pètera à la figure. Oui. Autant de traits à mettre sur le visage d'un homme qui, en peu de temps, l'aura tirée de son monde pour l'incorporer dans un univers aussi flou qu'un rêve, aussi dense qu'une passion. Pourtant, elle ne s'y attendait pas, ou plutôt, elle avait un plan bien arrêté: se débarrasser de l'étranger sitôt achevée l'opération de réanimation. Elle aurait, selon le mot de sa grand-mère Antoinette, racheté ses péchés par une action de bienfaisance. Oui. Voilà que la situation déborde le plan prévu, qu'elle se sent maintenant aussi agitée qu'un moucheron pris dans le filet d'une araignée.

Marie-France qui se trouvait dans la cuisine revient au salon en mangeant un morceau. Moins tendue que son amie, elle aussi se sent partie prenante dans une affaire qui risque de les dépasser. D'accord pour le premier acte: un homme se meurt devant la porte d'entrée de l'appartement de son amie. On le met au chaud. Il revient à la vie après quelques heures. Seulement, à l'instar de Carmen, elle a le sentiment de se trouver devant une architecture dont les merveilles se manifestent en pièces détachées. Si elle pouvait mettre un nom sur un visage qui semble défier le temps, elle ferait disparaître ce bouillonnement de questions dans sa tête. Non. On dirait que le visiteur prend un malin plaisir à brouiller les pistes qui pourraient aboutir à son identification et, à chaque fois qu'on croit le tenir, il glisse entre les doigts de la même façon qu'une méduse de mer. Malgré tout, elle tente de trouver le mot qui détendrait l'atmosphère en commençant par fredonner un air favori de Carmen.

Soudain, deux brefs comptes rendus à la radio accompagnés de sévères commentaires du chef de la police créent un choc brutal. On se tait. On écoute:

l'annonce, de l'évasion d'un patient d'un centre hospitalier après l'agression de deux infirmières. Ce patient serait dangereux pour la sécurité publique. De plus, avec la tempête qui s'abat sur la ville, il pourrait être difficile de s'en débarrasser, laisse-t-on entendre, au cas où il aurait trouvé refuge dans une maison. Selon les premières informations de sources policières, on aurait signalé hier soir, dans le quartier des Comédiens, la présence d'un clochard nègre qui marchait en rasant les murs.

Jacques en boitant bondit vers la porte.

— Restez, dit Carmen.

— Attention, réplique Marie-France.

— Je lui dis de rester, insiste Carmen.

Carmen s'approche de Jacques en lui offrant un regard déterminé. Elle le prend par le bras.

— Ne tremblez pas, Monsieur. Vous voyez, j'ai retrouvé mon assurance. J'ai cessé de trembler d'émotion, de peur et d'anxiété. Oui. Je tremblais tout à l'heure parce que je voulais mettre une étiquette sur votre front, parce que je voulais absolument, dans ma petite tête, dans ma société, dans les grands livres de ma race, trouver des éléments en vue de votre identification, de ma sécurité intérieure. Maintenant que je nage dans le vide, que je ne sais rien de vous, alors mes peurs ne sont pas justifiées. Du moins, je l'espère. Tout maintenant est une question de stratégie et de chance. Quoi faire pour gagner votre amitié? Quoi faire pour ne pas vous déplaire? Peut-être qu'à la moindre imprudence, vous pourriez me prendre à la gorge, m'étouffer, me décapiter. Vous n'en seriez pas à votre premier exploit. C'est dur quand même l'agression violente, froide, de deux femmes sans défense. Regardez-moi. Regardez-moi. Avez-vous peur de mes yeux? De quoi avez-vous peur? D'elle? Elle s'appelle Marie-France. Un nom qui évoque la douceur pour des hommes venus d'une île où l'on fait la sérénade sous les fenêtres de la fille qu'on courtise. Ne vous en faites pas. Elle est incapable de s'en prendre à un homme dont les jambes ne fonctionnent pas. C'est la peur qui l'a fait réagir ainsi. Entendu? Vous resterez. Pourtant, je demeure fascinée par l'innocence de votre visage. Si calme, si fleur bleue qu'il donne l'impression d'être en éternel état de grâce, hostile aux sollicitations des démons à vos trousses. Je décèle même dans vos gestes, dans vos propos, des signes qui inspirent confiance. Je ne sais pas moi. Peut-être vos souffrances, vos cris plaintifs, cette espèce de courant transmis à travers vos mots imagés, vos interrogations. Je me dis parfois que l'idée même du crime est incompatible avec le degré de souffrance d'un individu, que pour plusieurs, la souffrance est un acte de rédemption, ce moment où chaque cri prononcé est une porte ouverte à notre libération. Vous devez avoir faim, demande Carmen à Jacques.

— Non, madame, répond-il.
— Soif?
— Oui, Madame.

Carmen verse à boire à Jacques.

— Où sont les esprits dont ils m'ont tant parlé? se demande tout haut le visiteur. S'ils pouvaient traverser les mers, guérir, à l'instant même, cette folie qui me sépare de vous, cette angoisse qui fait sauter mon cœur au moindre mouvement d'un policier dans les rues. Tenez! En vous regardant de travers, je découvre quelque chose. Vous avez les mêmes traits que l'esprit vénéré chez moi pour réussir dans la vie. Oui, les mêmes traits, des paupières qui frissonnent de désirs sous les brises du soir, des yeux dont les flammes dessinent tout un pays de rêves avec des larmes de perles. On l'appelle Maîtresse Samonia, déesse de l'eau et de l'amour. Elle a de longs cheveux de cendre et des yeux bleus. Nous la portons en nous dès nos premiers cris à l'existence. Elle nous visite la nuit. Nous devons obtenir sa permission avant de contracter un vrai mariage.

Carmen et Marie-France se regardent, étonnées. Les dernières paroles de Jacques semblent ajouter quelque chose aux interminables interrogations des deux femmes concernant le visiteur, perdu, déglingué, déchiré. Elles sont relativement convaincues des forfaits qui lui sont attribués quoiqu'il continue de dégager un air d'innocent plutôt que celui d'un bourreau. Il n'aurait pas pris la clé des champs s'il n'avait pas posé un acte répréhensible, pense Carmen. Mais cette Maîtresse Samonia vient compliquer l'identité de Jacques. Voilà une déesse à leur image, soutient le visiteur, une déesse qu'il porte dans son cœur, dans son âme, dans son esprit, bref un puissant esprit dont il dépend pour faire sa vie. Ici, croit Carmen, la référence à d'autres mythologies s'impose d'elle-même, telle la mythologie grecque avec ses multiples déesses dont la fonction sociale ressemble étrangement à celle de la maîtresse Samonia. Avec la différence, pour Carmen, que la déesse Aphrodite présente les mêmes contours que Frynée, la courtisane d'Orient, que le Dieu Apollon, quand il décide de se manifester, emprunte le physique du héros comblé de ses grâces, de ses vertus. Alors Carmen essaie de voir la logique d'une symbiose peau-blanche, peau-nègre, cheveux-soyeux, cheveux cré-pus. Elle essaie de voir la logique d'une union avec une déesse blanche qui serait indispensable à la validité d'un contrat avec une femme noire. Il est vrai que le visiteur n'a pas fourni d'autres détails à propos de cette déesse. Elle croit cependant qu'il s'agit d'une question de religion. Oui. Seule une religion produite par des hommes, inventée par des hommes peut contenir une kyrielle de visages immatériels, protecteurs des hommes en détresse, des Noirs dans le besoin qui prennent tantôt une forme d'ange, tantôt une forme de déesse. Carmen veut en savoir davantage.

— Vous ne pouvez pas comprendre, s'empresse de répondre Jacques devinant son état. Non. Vous ne pouvez pas comprendre. Avec Maîtresse Samonia, je risque de vous plonger dans l'un des plus grands paradoxes des situations existentielles d'un peuple noir du monde. Ne m'en voulez pas si j'esquive vos questions là-dessus. D'ailleurs, je n'aurai pas la force de supporter une autre tempête sur mes épaules. Oui, les esprits, j'entends leur voix. Je les vois dehors. Ne vaudrait-il pas mieux qu'ils brûlent mon cadavre? Je ne peux rien, absolument rien devant leurs forces.

— Vous devez bien connaître quelqu'un en ville, dit Marie-France à Jacques. Je ne sais pas moi, un parent, un ami?

— Non, répond Jacques en donnant un coup de pied au piano. Vous venez de blesser en moi quelque chose. Je regrette. Je vis seul, Madame. J'ai toujours été seul, même dans le ventre de ma mère.

— Pourtant chez vous, tranche Carmen, c'est la commune primitive, la vie grouillante, trépidante. Je vous vois régulièrement au cinéma, dans les reportages à la télévision. On mange dans la même assiette; on boit dans le même gobelet; on couche dans la même chambre. Vous n'allez pas me dire que la solitude existe dans une vie pareille.

— J'ai toujours été seul, Madame. La preuve, c'est que j'ai dénoncé mon frère à un tortionnaire du régime politique de mon pays. On est toujours seul quand on ne respire pas au même rythme que les membres de sa famille, que les gens de son pays, que des collègues de travail. Si vous me disiez quel jour on est aujourd'hui?

— Jeudi, répond Carmen.

— Jeudi, réplique Jacques. Je poursuivais un papillon, tandis que ma cousine Isabelle jouait à la grande dame en soulevant sa jupe. Il y avait aussi une poule. Je m'amusais à lui tordre le cou. Vers les onze heures du matin, je m'étais rendu dans les bois à la recherche d'un esprit qui, deux jours auparavant, avait ordonné à mon père de m'amener près d'une source, de me baigner, de me frotter le corps avec des feuilles d'amandier pour réussir mes études au collège. Le village s'animait avec la fête paroissiale. Oui. C'est drôle quand même. Les choses s'éclairent. Il suffit d'une étoile filante dans le ciel, d'un bruit de pas d'enfant, du vol d'une hirondelle, d'une piqûre de moustique pour que des souvenirs remontent à la surface. Oui. C'est bien ça. Dans la case de mon grand-père, Maman rapiéçait un de mes pantalons troués. Ma sœur Ruth brodait un napperon; le paysage s'identifiait à mon silence de la même manière que ma couleur à mon âme. Le vent sifflait un drôle d'air.

Jacques cherche la mélodie sur le clavier du piano. Il fredonne, en s'accompagnant, une berceuse de son pays. Il s'arrête brusquement.

— La pluie, dit-il. Quatre, trois, deux, zéro. Ça s'est abattu plus rapidement qu'un fleuve en furie. Je n'ai jamais pu l'arrêter, ce bouillonnement dans mon esprit, cette espèce de boucan qui refuse de s'éteindre, même avec les prières de ma mère, les bénédictions du pasteur Jean-Baptiste, même avec les paroles consolatrices de ma sœur, les pilules du docteur Renélique. Oui. C'était parti pour de bon, cette fusée d'imagination qui crée la beauté avec la boue, les excréments de chien, de bébé, qui fait des arcs-en-ciel avec la boue des ravins, les haillons des morts-vivants, qui transforme en paysages délabrés les décors funéraires d'un peuple aux yeux de Macchabée, qui crée des mondes de toutes dimensions avec l'image de Fréda, de Nelly, de Zoune, de Nounoune. Oui. Cela a été le début d'une grande aventure qui devait m'amener aux confins de la terre. Je vous ennuie, dites?

— Non, répond fermement Carmen. Cependant vous souffrez. Vos mains recommencent à trembler. Voulez-vous?

— Rien, coupe Jacques. Rien, sincèrement, il ne faut rien tenter. Sinon, je trahirais mon personnage, ce démon en moi palpitant, grelottant. Sinon, je perdrais ma plus pure transparence au bénéfice d'une noirceur que je ne peux plus supporter. Non, il ne faut rien tenter pour me soustraire au feu de la tempête. Je n'en vaux pas la peine. Je crois que vous devez me laisser explorer les ténèbres. Ce serait là mon seul acte de réhabilitation.

— Vous ne tenez pas beaucoup à votre peau, dit fermement Marie-France.

— Ils m'ont déjà assassiné, Madame. Dans une prison à la capitale de l'île aux Requins. Toute la famille a été raflée un après-midi dans une fourgonnette. On vomissait sous leurs bottes. On a déshabillé ma petite sœur. On a fourré dans son sexe la hampe du drapeau du grand chef. Exposé au même supplice mon jeune frère de dix ans. Je ne sais pas combien de temps nous avons roulé avant d'aboutir à la prison des prisonniers politiques. On nous a jetés sur le parquet, telles des masses de viande pourrie. Nous gémissions, nous criions de douleur. La cellule d'à-côté répondait à nos cris de lamentations par des coups répétés sur le mur. Les soldats du grand chef sont entrés dans notre cellule. On a marché sur nous. On a pissé sur nous. On nous a donné des coups de pied à la tête, au ventre, dans les côtes. Quand j'ai repris connaissance, le cadavre de ma petite sœur, sur les eaux verdâtres d'un étang, flottait à la dérive. J'entendais le bruit des pas des bourreaux. La porte s'est ouverte. Sur un brancard, ma sœur aînée, décapitée, mutilée. Elle aura, jusqu'au bout, résisté aux manœuvres des tortionnaires. J'attendais mon tour. On m'a fait attendre. La torture mentale était un préalable à la torture physique. Deux jours, cinq jours, dix jours. Mon supplice, un beau matin, a atteint son point culminant. Devant moi, une baïonnette plongée dans le ventre de ma mère. Ils me disaient: «Dessinez une fusée sur la porte pour foutre le camp.» J'obéissais. Je vous le jure. Alors le miracle s'est réellement accompli. Je me suis évadé. Direction, la maison de mon frère. Il fallait lui raconter la décapitation de notre mère. Les chiens m'avaient filé. Ils ont réussi à mettre la patte sur mon frère que je n'avais pas dénoncé. Ils nous ont ramenés en prison. Un colonel m'a craché trois fois au visage. Un capitaine m'a donné trois coups de pied aux testicules. Ils ont dit à mon frère: «Ce n'est pas de notre faute. C'est lui qui nous a fait découvrir votre cachette.» Alors, avec un rasoir, ils ont coupé la gorge de mon frère. Pensez-vous que je peux vivre avec l'idée que j'ai livré mon frère aux bourreaux du grand chef, que je suis responsable de sa mort. Alors, pas de pitié. Je dois payer le prix de ma lâcheté. Oh bon Dieu, ça y est. Voilà ce que je cherchais; il est beau, il est fin, votre couteau sur la table. En le plantant dans mon cœur, vous libérerez ce muscle non seulement des poussières d'excréments, mais aussi d'un amour familial qui faisait de moi un petit chien collé aux pieds de maman. S'il vous plaît, n'hésitez pas. Prenez l'objet de ma libération. Tenez. Achevez la bête à coups de couteau. Vous rendrez service à mon peuple, à votre peuple, au mondre entier. Allez-y, vous dis-je! Sinon vous ne pourrez plus vivre avec l'image d'un lâche dans votre esprit.

— Il faudrait redéfinir ce mot-là, dit Carmen. Qui est lâche? Qui ne l'est pas? Tous ceux qui ne sont pas au pouvoir, qui n'ont pas de pouvoir sont appelés un jour à poser un acte de lâcheté. Moi aussi. Je suis constamment obsédée par la notion de courage. Moi aussi, j'aimerais, tous les jours, avoir quelque chose à défendre, soit avec mes armes, soit avec mon esprit. Seulement, la manière dont je suis façonnée me fait reculer chaque fois que je veux aller au-delà de ma peur. Je ne connais pas votre pays, encore moins vos bourreaux. Je me demande, néanmoins, si votre expérience n'est pas plus profitable aux personnes qui font bouger le monde que la mienne. Vous faites partie d'une race qui cherche sa voie. Bien sûr que je n'aimerais pas être à votre place, ni à la place des femmes maltraitées, mutilées, assassinées. La vie peut être autre chose que ça. Sauf que je me demande où est la différence entre nous.

— Bien sûr que tu es différente, réplique Marie-France, très différente des femmes que nous connaissons, à commencer par moi-même.

— Vraiment, répond Carmen avec colère. Alors, je ne comprends rien à la différence. Vous dites que vous avez livré votre frère aux bourreaux?

— Oui, tranche Jacques.

— C'est courant chez vous la dénonciation? La délation?

— Hélas, oui, Madame. On dénonce pour n'importe quoi: de bonnes relations avec une autorité politique, une cigarette, un verre de rhum.

— On vous avait donné du rhum, vous?

— Non. Quand un milicien du régime est venu frapper à ma porte, qu'il m'a demandé où se trouvait mon frère, je tremblais, je pissais dans ma culotte, je déparlais.

— Vous lui aviez donc indiqué l'endroit où se trouvait votre frère?

— Sans aucune hésitation. Je lui ai même dit qu'à cette heure précise, il devait se prélasser dans la piscine de notre évêque.

— Vous aviez donc parlé librement, sans aucune pression?

— Il y avait une pression.

— Laquelle? demande Carmen.

— Le plus grand mal que je pourrais vous faire, Madame, c'est de vous imposer la présence d'un milicien tortionnaire de l'île aux Requins. Oh, non! Ne le regardez pas. Votre sommeil sera perturbé de cauchemars. Vous voyez, Madame, comment ses grosses lunettes cachent des yeux ensanglantés, comment son visage se durcit en vous regardant, comment il fait trembler son corps à la manière d'un tigre qui va foncer sur sa proie. Regardez-le bien. Votre caboche ne pourra plus le rejeter, tellement il y demeurera imprégné avec ses ongles de diable, son souffle de dragon, son odeur de cadavre, ses cheveux hérissés. Oui. Observez-le bien. Dans quelques instants il va dégainer son révolver tout en claquant des dents à la manière d'un vampire assoiffé de sang. Il va griffer au sang sa proie. Il va foncer, hurler, rouler par terre en faisant entendre sa voix aux quatre coins du pays. C'est une bête de mon cœur, produit de mon peuple; c'est une bête de mon âme, produit de mon Dieu, oui, un Nègre laid, le mouchard de l'île aux Requins. Un Nègre bête, plus bête qu'une mouche qui se laisse attraper par la flamme d'une lampe, plus bête qu'une puce qui se laisse écraser par les sabots d'un colonel. Il n'a pas besoin de vous ordonner de parler. Oh, non! Votre bouche crache des mots dès qu'il commence à vous toiser.

— Vous aimiez votre frère?

— Je sais seulement que je ne voulais pas mourir à sa place.

— Aimiez-vous votre frère? insiste Carmen.

— Oui. Seulement...

— Seulement?

— Je n'aurais pas été en mesure de prouver son innocence.

— Pourquoi?

— Quelque chose nous séparait.

— Quoi donc?

— Je polémiquais dans un journal contre un historien. Je démontais ses thèses sur la révolution à la lumière du matérialisme dialectique. Mon frère, lui, faisait des complots pour renverser le régime politique du gouvernement de l'île aux Requins.

— Ensuite? dit Carmen.

— C'est difficile à dire. Vous ne comprendrez pas.

— Quoi donc?

— Qu'on ne puisse pas toujours assumer des sentiments de fraternité.

— Votre frère vous aimait-il?

— Quoi?

— Votre frère vous aimait-il?

— Je ne le sais pas, répond Jacques un peu gêné.

— Comment ça, vous ne le savez pas? insiste Carmen.

— Nous n'avons jamais parlé de choses intimes. On dirait que nous étions figés l'un devant l'autre chaque fois que nous devions exprimer un sentiment. Bon Dieu! que j'avais donc souffert de l'abandon de Rose-Marie! Une nuit entière à pleurer sur mon sort. Le lendemain matin à la cuisine, mon frère révisait un discours que devait prononcer l'évêque lors d'un ralliement patriotique. Je tournais autour de lui. Je sélectionnais des tournures de phrases susceptibles de le toucher. Au moment où j'allais ouvrir la bouche pour tout lui cracher sur ma plus cruelle déception sentimentale, ma langue s'est gonflée au point de déformer mes joues. Ce n'était pas la première fois que je me trouvais bloqué devant mon frère. Je n'arrivais pas à lui dire quoi que ce soit qui exprimât l'amour de quelque chose, la haine de quelque chose. Non. Nous n'avions jamais parlé de choses intimes, sauf une fois. Je lui avait dit que j'aimais la pluie, les ondes des rivières, que ma main était l'égale de celle de la Vierge à cause de sa capacité de boire la coupe jusqu'à la lie.

— Encore du café?

— S'il vous plaît. Mon frère avait quelque chose de particulier. Trop philosophe à mon goût pour un Nègre dont l'arrière-grand-mère offrait gratuitement ses fesses aux colons blancs. Il disait que tout ce qui est beau fait peur, que l'homme n'est pas fait pour la beauté puisqu'il a toujours des pensées qui voisinent avec la pourriture. Je suis un lâche, Madame.

— Sans doute. Vous auriez pu répondre par signes aux questions. Les sourds-muets sont légion dans les pays pauvres. Connaissez-vous dans votre région, dans votre entourage, une seule personne qui ait tenu tête à un officier tortionnaire du régime? Votre position ne fait que multiplier dans ma tête des points d'interrogation. Remarquez que je n'ai pas peur, bien que nos mondes soient différents. Qui sait ce qui se cache derrière nos masques? Vous prétendez que votre frère a été assassiné par votre faute, n'est-ce pas? La radio vient d'annoncer votre évasion d'une institution pour malades mentaux, n'est-ce pas? Alors, une question: où est le bien dans tout ça?

— J'ai déjà répondu à cette question. Je ne me connais pas. Oui, c'est vrai. Je fais les cent pas dans une prison depuis des jours. Je grouille aussi dans des poubelles, dans des lagunes, dans le silence. Que voulez-vous?

— J'ai le sentiment qu'il s'agit là de sacrifices pour se libérer des souillures du monde, alors que...

— Alors que tous les matins, on saute dans la voiture pour aller au bureau après avoir passionnément serré contre soi une femme adulée, une fillette choyée. On se conforme, bien sûr, aux règles établies, aux normes imposées par les régulateurs des mouvements sociaux. On ne risque rien en se pliant à l'ordre dicté, en marchant à tâtons dans l'obscurité. Tandis que refuser de prendre la même direction que des zombis, renverser de fond en comble des théories mal apprises, mal digérées, faire péter des bombes partout où pullulent des porteurs de tuberculose, se loger une balle dans la cervelle pour entrer plus tard dans la légende, tel pourrait être le trait dominant de ma vie. Sinon, je dois payer en misères, en souffrances, en dégoût de moi-même, pour un peuple aux abois. Je dois payer en sacrifices, en destruction de ma religion, pour ma progéniture vendue en esclavage. Ce sera ma révolution, d'une façon religieuse, s'il vous plaît. J'ai lu quelque part que la faculté de rêver dispense le poète des flammes de l'enfer. Alors, je marche pour rêver. Vous me voyez creux, ridicule, l'esprit en désordre. Qu'importe! Vous m'avez offert une bouffée d'air frais. Je vous ai dit que les passants se gardent bien d'envahir l'espace des autres. Là s'achève la comédie. Maintenant...

— Non. Pas encore, dit Carmen à Jacques, qui se lève pour s'en aller. Je vous ai dit de rester. Quelqu'un a déjà essayé de vous connaître, je suppose. Un ami, une femme, un parent...

— À quoi bon, Madame. J'échappe à tous les signes d'identification puisque je n'ai pas d'identité réelle. Je déjoue les personnes qui m'approchent en leur fournissant de faux indices. Que voulez-vous? Oui. Je suis plusieurs personnages à la fois, ange, démon puant, monstrueux, l'un dévorant l'autre, l'un haïssant l'autre, l'un empêchant l'autre de renaître dans la béatitude, de se développer dans la grâce de Dieu, dans l'amour du genre humain. Je suis le plus grand ennemi de moi-même, le rejeton d'une race condamnée, par on ne sait quelle force, à tourner autour de la terre sans pouvoir trouver un coin où jeter l'ancre. Tout en moi-même sent le crime, la paresse, la lâcheté. Mes mains par exemple. Angèle la paysanne les adorait. Elle les lavait tantôt avec ses larmes, tantôt avec l'eau de source de son jardin. Pourtant, ces mains devraient être amputées. Elles ont indiqué l'endroit où se cachait mon frère. Elles ont déjà fabriqué des images à double sens, écrit des fantasmes qui sont autant d'échappatoires à la saisie de la réalité. Oui. Ces mains d'artiste, Madame, ont déjà allumé des incendies, égorgé des adversaires politiques. Oh non! Ne me demandez pas pourquoi elles demeurent porteuses de microbes, de noirceurs, de bêtes venimeuses, pourquoi elles s'arrogent tant d'honneur à jouer avec les mots, à faire des mondes au-delà de la matière, à créer du vide autour de nous, des caractères qui ne sont que l'envers de la personnalité des diables qui nous assaillent. Voyez-vous. Ouvrez grandes les portes. Faites-nous voir tous nos champs envoûtants. Écoutez! Voilà des Normands venus du fond des villages. Ils chantent la Marseillaise alors que les Anglais les regardent d'un œil méfiant. Bien sûr, bien sûr. Il faut savoir qui on est. Nègre colonisé, écrasé, humilié. Blanc maître du monde, descendant de Néron, le tigre aux aguets, tordu, rejeton de Caligula, couronné de méduses, frère en la douleur de Malcolm X au nez écrasé. Tourne la terre malgré tout. Malgré tout, ils ont assassiné ma mère, mes frères, mes sœurs. Merde. Excusez-moi.

— Ne vous excusez pas, répond Carmen, pensive.

Marie-France qui se trouvait dans l'une des pièces de l'appartement, revient au salon. Elle dévisage Carmen, de plus en plus métamorphosée. Elle se retire après avoir mis du café dans les tasses.

— J'ai honte de vous causer tant de problèmes, Madame. Par ma faute, des questions auxquelles vous n'auriez jamais pensé vous préoccupent maintenant. Ne me prenez pas pour un criminel, un léopard qui, même avec la panse bien remplie, continue de se goinfrer de charogne. Ne me prenez pas pour un clochard au cœur de pierre. J'ai beaucoup aimé, Madame. Ma mère surtout. Quiconque aime doit haïr avec la même intensité. Oui, je hais le ciel immobile, les mauvais poètes, les mauvais coucheurs, les menteurs maquereaux, les politiciens criminels, les rois nègres des brousses, les rois nègres des villes. Oui, je hais, mon corps, un puant cadavre, mes lèvres, un dépôt de pus, mes veines qui se fortifient du sang des rongeurs, des poux. Ah! Si je pouvais trouver un territoire où chacun pourrait lire, comprendre, disséquer le regard de l'autre, un simple coin de terre où les races disparaîtraient avec leurs préjugés, quelque part, à l'intérieur des grottes où l'on pourrait mettre fin à la tragédie des laissés-pour-compte, aux destins macabres qu'on nous fait subir, que nous n'avons pas inventés. Qui voudrait m'accompagner dans un si beau voyage? Ma mère violée, disparue? Guilène, le corps écrabouillé sous les bottes des gendarmes? Marie-Rose dont la famille a failli me lyncher parce que je n'étais pas fait pour elle? On pourrait toucher la terre promise, terre de Ruth où l'électricité pulvériserait les loups-garous en rendant le courage ainsi que la mémoire aux paysans. On pourrait voir d'autres créatures sans aucun trou dans le corps, habillées de feuilles d'amandier. On pourrait sentir d'autres odeurs qui proviendraient uniquement d'huiles parfumées. Savez-vous de quoi je parle? D'un temps à chanter en prose poétique, à régler de la même manière que les aiguilles d'une montre. On pourrait aussi posséder des instruments divins afin de décoder le langage des oiseaux, afin également de deviner la méchanceté des monstres naissants, de tuer l'orgueil, la jalousie, l'antisémitisme, le racisme.

Carmen fond en larmes au mot de racisme. Elle détourne cependant la tête pour ne pas le laisser voir à Jacques qui continue sur sa lancée.

— Ils disent pourtant que les sentiments n'ont plus de place dans leur monde. S'ils pouvaient me permettre de dire ce qui est au fond de mon cœur, sans aucune retenue, sans obéir aux règles d'une école, d'un cénacle, d'un groupe de primitifs. Oui, exprimer le fond de mon cœur, de la même manière que l'oncle Salomon à l'endroit de sa reine. S'ils pouvaient me permettre d'être moi-même, d'écrire ce qui me vient à l'esprit, sans me demander si ça va plaire aux enfants de Dieu, choquer les savants, les bonnes consciences. Oui, Madame, si je pouvais avoir un langage qui soit comme les flots tumultueux de mon imagination, les ailes cassées des mots, l'envers de la réalité, la beauté convulsive des cauchemars. S'ils pouvaient me donner la permission d'être moi-même, ce petit Nègre des plaines qui peut, qui doit avoir sa façon à lui de parler au monde, de se dire au monde, de se raconter librement avec les mots de son langage, les images de sa culture. Oui, Madame, si on pouvait me permettre de montrer mon génie, dire en quoi je me distingue des coquins, des hypocrites! Non. Ils ne me le permettront pas. Ils inventent plutôt de nouvelles neiges pour blanchir davantage ceux qui sont noirs, pour noircir davantage ceux qui sont blancs, de là l'incertitude des formes qui nous propulsent dans un monde renversé. Regardez! Le froid se meut dans la chaleur. L'horizon se déchaîne. Le suicide se substitue à la vie. On célèbre déjà la mort des continents. Dans quelques secondes, de nouvelles races, de nouveaux peuples. Bon Dieu! Qu'ils viennent vite!

— Mais qui? demande Carmen dans un cri.

— D'autres visages, d'autres soleils, d'autres astres éclos de leur silence millénaire, répond Jacques. Les entendez-vous? Les voyez-vous? Ils sont en train de déployer leurs ailes. Dans quelques secondes va commencer le séisme. Je n'ai pas peur. Je suis un pénitent.

— J'aimerais comprendre, lâche Carmen en sanglotant.

— Oui, comprendre, répond Jacques, les raisons de la haine, les bruits du silence, l'éternel cauchemar des enfants maudits, comprendre les soubresauts du cœur entrecoupés de cris. Moi, je n'ai jamais rien compris à la mécanique de mon corps, à la forme de mon esprit, à la course effrénée de mes idées. Je jure devant Dieu que je n'ai pas fait exprès. Je n'aurais jamais pensé que ce chien de milicien irait quérir mon frère dans un lieu sacré. Je n'aurais jamais pensé que cet animal de milicien aurait eu l'audace de débarquer chez l'archevêque pour aller arrêter mon frère dans une piscine. Je vous supplie, Madame. Pour la gloire de votre peuple, pour l'amour de vous, de toutes les femmes qui portent leur virginité dans leur regard innocent, dites au médecin que je n'ai pas eu le courage de lui avouer mon crime lors de la dernière séance de...

— De quoi? demande Carmen.

— Oui. Il m'avait fait asseoir près d'une table, le dos appuyé contre le mur. À l'infirmerie saignait un garçon innocent, violé par dix Nègres, en même temps. La prison flottait dans une espèce de mousse noirâtre. Le directeur conduisait au trou un prisonnier criminel. Le clairon ne se faisait pas entendre, tellement craquait l'édifice de tous les côtés. Mon juge n'avait pas l'air d'un plaisantin. Il était grave, une pipe à la bouche, la braguette ouverte. De temps en temps, il touchait ma tête, de façon à gagner ma confiance. Il sifflotait un air connu de tous les enfants du monde: Il était un petit navire. Il voulait savoir si j'étais une personne responsable. Un poète, un génie, un prestidigitateur de mots, si j'étais doué pour faire des témoignages en public, pour prier Dieu avec ferveur. Il m'a posé un tas de questions sur l'amour de ma race, ma couleur, la grosseur de mon sexe, les femmes que j'avais fréquentées avant mon atterrissage sur son territoire. Il voulait aussi savoir si mon dérangement provenait de mon incapacité d'adaptation à une société qu'il appelait civilisée, développée. Bien sûr qu'il se voulait un poteau dans ma petite cour, une bonté d'une remarquable religiosité. Seulement, il m'a conseillé de retourner dans mon pays où, d'après lui, je pourrais trouver un bon guérisseur.

— Oui. Pour vous faire soigner, dit Carmen, puisque vous traînez une maladie séculaire que, vous non plus, n'avez pas découvert derrière l'homme aucun paysage rassurant.

Carmen se lève. Elle se met à marcher de long en large. La voilà près de Jacques.

— Quand j'étais petite fille, dit-elle, je croyais qu'il ne pouvait y avoir aucune puissance qui bloque mon savoir, qui m'empêche même d'aller au fond du fleuve pour découvrir les secrets de la terre. Je voulais avoir une démoniaque énergie qui fasse de moi la béquille des autres, pour me sentir un phare dans le brouillard quand s'égarent des navires au milieu de la nuit. Devenue femme, les personnages que je portais en moi se sont installés dans le malheur. Je cours après l'orage. Des mouches dans la cervelle, mon esprit entre les griffes de mâles non éduqués. La folie me fait signe tous les matins. Évidemment, je refuse d'arrêter ma course dans le vent. Il me reste beaucoup d'espoir de traquer la bête, de la tuer définitivement. Hélas! les plus beaux moments rêvés agonisent dans la solitude. On dirait que les plaies du jour sont celles de mon cerveau, que mon corps est le dépotoir des ordures de mon quartier. Quand je pense bleu, ce sont des cauchemars, les harmoniques des chants funèbres. Quand je pense rouge, alors la mort me fait des signes, avec ses gants de fer. Dressé telle une pancarte, tout l'univers semble entrer dans mes déboires. Autrefois, avec les filles du couvent, je croyais pouvoir ramasser du sable d'une autre planète pour en faire des pyramides à mon gré. Plus maintenant. Non. N'être rien aux yeux du patron. Subir, tous les jours, le poids de l'autre sur son corps, dans ses gestes, dans ses rêves. Courir après un capricieux destin. Accepter les insultes de ses supérieurs, le corps chargé d'explosifs, vivre avec des crétins, voir comment ils traitent les pouilleux, les crasseux, les fous, les demi-fous, les anges, les démons, ceux-là qui croient en Dieu, ceux-là qui croient à l'aigle, ceux-là qui croient aux systèmes, pas à la sensibilité, pas à la force de l'imaginaire, ceux-là qui se croisent les bras en prenant la vie pour un spectacle, ceux-là qui ne font rien pour remettre à leur place des bêtes dangereuses, avant que tout cela nous étrangle! Comme tout cela donne envie de vomir! Je me demande s'il y a une ouverture dans notre cercle, dans notre cage.

— On l'a déjà dit, Madame, un pasteur révolté par la conduite de son évêque. Nous sommes au premier acte.

— Oui, c'est ça, au premier acte, au bord du néant, répond Carmen. Nous avons la tête fêlée, les bras coupés, le cœur arraché, le dos courbé. Quand nous aurons payé nos imbécillités en destructions, peut-être restera-t-il dans les décombres un nouveau type de singe. J'ai l'impression que la tempête diminue. Vous devez aimer la mer? demande Carmen à Jacques.

— On ne m'a jamais appris à nager, répond-il. Si on nous avait appris à apprivoiser la mer chez nous, peut-être aurions-nous aujourd'hui moins de poux dans nos poils. La mer, dit-on, efface les impuretés ainsi que les péchés. Encore qu'il ne semble exister aucun fleuve sur la terre pour laver nos crimes, notre orgueil et nos plaies.

— C'est peut-être là l'origine du désespoir, dit

Carmen d'un ton vague.

— Justement, tranche Jacques. Vous voyez Madame, je pue de la tête aux pieds. Ma nuque est disloquée, ma langue fendue à plusieurs endroits. J'ai le ventre qui n'en peut plus, bourré de gaz. Oui. Chercher sa nourriture dans les poubelles, ne pas se laver, n'avoir de comptes à rendre à personne. Grossir, grossir, jusqu'à envahir l'espace, jusqu'à crever sous l'œil de Dieu. N'éprouver aucun désir, même celui de se faire caresser le corps par une brise légère. Malgré tout, on voudrait connaître le mécanisme de la conscience, rien que pour comprendre le témoignage des victimes des bêtes. Rien que pour entendre un jour le cri des capitaines, des colonels, des salauds qui crachent sur la beauté, sur la vertu.

— Non, dit Carmen avec fermeté. Je ne crois pas aux règlements de comptes, pas plus qu'au jugement dernier. Bien sûr que de nouvelles figures sortiront des nuées pour orienter les foules vers des buissons ardents. Moi aussi, j'éprouve le besoin d'être autre que moi-même, libérée de la pesanteur, de la matière, du langage, des codes de lois. Oui. Une autre que moi-même, mue dans le soleil, les cheveux au vent, l'âme aux vagues de la mer.

— Il faudra, dans ce cas, s'attendre à entrer dans la légende.

— Des hommes tels que vous, dit fermement Carmen, n'entreront jamais dans la légende puisque vous passerez toute votre vie dans l'anonymat. Il en est de même pour les femmes condamnées à répéter les gestes de leur mère. Vous parlez au monde. Votre voix se meurt dans la forêt. Vous tombez dans le gouffre, à force de vivre avec des fantasmes, des faiblesses, des cauchemars. Vous versez maintenant votre sang pour la miséricorde des autres. Vous êtes en train de créer vous-même vos propres enfers, vos propres volcans, vos propres camps de concentration avec des nazis produits cette fois-ci par les savants de votre race. Les hommes de bien de votre race. Le soir, à la lueur des chandelles, vous entassez des ombres en ramenant le monde à une idée, une seule. Votre dégringolade est le dérapage de votre race. Seulement, croyez-vous vraiment à la culpabilité des autres? Aux lâchetés des autres? De nous deux, par exemple, qui est le coupable? Qui est le plus coupable? Celle qui se lève tous les matins pour aller au travail, sachant fort bien que la moindre déviation aux commandements du patron entraîne l'humiliation? Qui est le plus coupable? Celle qui, tout en disant oui à l'ordre, le sabote de l'intérieur, qui dit sa révolte au moment où ça gronde en-dedans? Oui, Monsieur. Qui est le plus coupable? Celui qui subit, sans réagir, qui s'agenouille devant le pouvoir? Vous voyez! Je n'ai encore rien appris. Il faudra qu'on me donne de nouvelles recettes pour faire l'apprentissage du refus.

— Peut-on apprendre le refus, Madame? Bien sûr. Il y a quelque chose qui s'apprend: le crime, l'horreur, la crucifixion. On apprend aussi, quand le souffle de Dieu vous guide dans les ténèbres, à ne pas regarder les visages ravagés de lèpres, à se boucher le nez pour ne pas se laisser envahir par l'odeur de la sueur. Oui, Madame. On apprend aussi la maternité, le viol, le pillage des biens d'autrui, le chancre, les ongles arrachés. Oui. Seulement, la folie ne s'apprend pas. En tout cas, je n'ai pas appris comment un homme soi-disant sain d'esprit a perdu la boule après avoir vendu son frère à un tortionnaire du régime politique de son pays. Je n'ai pas non plus appris comment aimer, puisque l'amour s'appelle aussi prostitution et mendicité. Je n'ai jamais été capable de désirer une des jeunes filles de l'île aux Requins, à cause de leur virginité. Oui, Madame. Chez nous, toutes les femmes sont vierges, même après avoir donné naissance à une douzaine d'enfants.

— Ici, quand même, les choses semblent différentes, à en croire un de vos écrivains. C'est à qui, dans certains clubs, mettra la main sur un Nègre musclé. On chante la baise, on vante la baise dans les milieux noirs de la ville. Selon un de vos savants, ferré en maladies mentales, toutes les femmes blanches rêvent d'être un jour violées par un Nègre.

— Je ne crois pas à cette maladie bourgeoise.

— Comment? s'écrie Carmen. La vie sexuelle serait une maladie bourgeoise?

— Oui, Madame. Le peuple n'a pas le temps de penser à ça, trop préoccupé par des gaz à l'estomac. Nous aurions moins d'ennemis dans le monde blanc si nous n'avions pas refoulé la femme noire dans les poubelles de l'existence. J'ai mal partout, madame. J'envie votre liberté. Nous sommes si différents. Pourtant notre cœur bat au même rythme, pour notre malheur. Nous vivons à la remorque de pensées qui nous séparent, qui nous égarent. Nous vivons à la merci de l'acide, du rêve et des bourrasques. Si l'on pouvait se laisser aller à la dérive, aller sauter à la corde dans des chambres à gaz! Si l'on pouvait ravager, détruire, brûler, pour créer un espace, un tout petit espace où dénoncer l'angoisse. Non. Le dernier mot reste toujours aux maniaques ainsi qu'aux lâches.

— Non, crie Carmen. À toutes les personnes dont l'esprit vaincra la peur, l'angoisse, les contraintes d'un système, de tous les systèmes. À toutes les personnes qui s'élèvent contre les recettes imposées, que nous n'avons pas inventées puisqu'elles l'ont été contre nous, malgré nous. Oui. Je regarde ma peau. Le problème, c'est qu'elle n'est pas aussi blanche que la neige. Il faut croire qu'il existe différents degrés de blancheur. Je me situe donc au dernier degré qui me met à l'abri de la haine des races-charbon, des races-chocolat, des races paumes-jaunes. Je me pose aussi un tas de questions sur l'air qui m'étouffe, la tempête qui m'a empêchée d'alerter pour vous une ambulance. Pourtant, c'est plus fort que moi, ce besoin de dire oui à la vie quelles que soient les saloperies qu'elle m'impose. C'est plus fort que moi, le goût d'aller plus haut, de courir après le vent, de dire qu'après tout ça vaut la peine de lâcher son souffle après des mois de suffocation. Je me souviens du temps où j'étais au couvent. Je trouvais toujours une forme de pardon aux imbécillités de la mère supérieure, aux fantasmes de la mère censeure. Oui. La Francine Durivage me fascinait avec ses yeux bleus, sa peau fine, ses tendres regards. Elle n'avait qu'à me frôler la peau pour ouvrir en moi les vannes du désir. Mon Dieu! que j'ai donc souffert pendant ces longs mois. Je cherchais partout sa présence. Dans les salles de classe, au réfectoire, dans le dortoir. Un jour j'ai été prise par l'envie d'assassiner son confesseur, celui qui avait sur elle tous les pouvoirs, qui pouvait la contrôler à sa guise, qui régnait sur elle, qui pouvait même lui demander de lever sa robe longue sans que cela blesse sa pudeur, puisqu'elle le faisait au nom du Saint-Esprit, de la même manière que le faisait la Sainte Vierge au nom de l'Esprit saint. Oui. Elle avait, elle aussi, entrevu la pieuvre du désir dans mon corps. Drame poignant un soir de juillet: elle m'a griffé au visage après m'avoir entraînée dans sa chambre. Cela a été trop pour moi. J'avais tellement honte de moi-même que je suis restée enfermée dans ma chambre toute une semaine. Vous devinez le reste. J'ai été chassée comme une chienne à cause de mon désir. Oui, Monsieur, je n'avais pas le droit de désirer une personne. Depuis, je suis condamnée à me faire violer, pétrir, manger. Depuis, je suis condamnée à poser des actes odieux que me commandent ceux qui, au nom de leur société, exercent sur moi leur pouvoir de mâle. Pourtant, je n'ai pas été complètement chavirée par la peur en vous voyant.

— Le contraire m'aurait étonné, Madame. Les nègres châtrés sont plutôt vos anges gardiens.

— Je regrette, Monsieur, répond fermement Carmen. Ça fait longtemps que mon peuple a dépassé le stade de la barbarie.

— Vous venez de le dire.

— Dois-je vous cracher la vérité? crie Carmen. Seriez-vous dans cet état si des hommes politiques n'avaient pas de harems? Oui. Je vous imaginais comme un serpent qui, en reprenant ses forces, allait me piquer. Oui. Je voulais voir comment le serpent allait réagir, peut-être en fonçant sur moi. Alors, j'aurais été en mesure, oh oui, de justifier l'esclavage des Noirs, la soumission des Noirs aux valeurs des Blancs, à la morale des Blancs. Hélas! votre comportement m'a désarmée. L'absence de violence chez vous, du moins jusqu'à présent, m'enlève le droit de vous haïr. Elle me laisse du moins la liberté de vous percevoir comme un être égal à celui qui me déchire les entrailles au moment où je vous parle. Séparée d'un riche avocat, je suis obligée de travailler durement pour joindre les deux bouts. Ce matin, mon patron m'a encore prise à partie. Mon refus de coucher avec lui continue à le narguer. Sincèrement, il court tellement de bruits sur votre race, le crime, la barbarie politique que je me demande si j'étais prête à rencontrer un homme de couleur dans cet état-là.

Non. Je n'étais pas prête. Je veux dire... oh! ça n'a pas d'importance.

— Bien sûr que oui, Madame. Cela a beaucoup d'importance.

— Peut-être. Les rencontres, dit-on, comportent quelque mystère. Rien d'étonnant à ce que je vous croise sur mon chemin, malade, moribond, ainsi que vous le prétendez. Sauf que vous avez fait le tour du monde par la souffrance, que vous inventez votre propre espace afin d'échapper à l'horreur. Oui. Elles sont nombreuses les solitudes; elles se multiplient à l'infini; elles s'enchaînent dans nos regards, dans nos langages et dans l'imaginaire. Ça fait mal.

■

On entend frapper rageusement à la porte. Une brève douleur serre le cœur de Carmen. Jacques essaie de camoufler sa peur. Marie-France, qui se trouvait dans la chambre à coucher, dit tout haut qu'elle va ouvrir.

Il entre en coup de vent, l'ami de Marie-France. Pierre pousse brutalement Marie-France, explosant de colère; il se met à bégayer en insultant la jeune femme. La rage atteint chez lui son paroxysme quand il aperçoit Jacques sur le sofa, tremblant, replié sur lui-même. Peu s'en faut qu'il ne l'empoigne, qu'il ne le jette dehors. Seul l'avertissement de Carmen, ponctué de menaces, l'en empêche. L'homme débite les plus sales insultes du vocabulaire de son milieu et s'approche de nouveau de Jacques comme pour le pousser dans le couloir de l'immeuble.

— Encore un geste hostile à son endroit et je vous ferai payer très cher votre impertinence. Vous êtes ici chez moi, dans mon appartement. C'est déjà une voie de fait ce genre d'intervention violente chez une étrangère! lance Carmen.

— Je n'en reviens pas, réplique Pierre. Une étrangère dont la gueule crache toutes les niaiseries quand il s'agit de justifier une saloperie, un écart à la bonne conduite. Ça entre chez moi à l'heure qui lui plaît, ça fait chez moi ses quatre volontés. Encore un peu, c'est elle qui chaufferait les cuisses de ma femme. Oh non. Je ne peux accepter cette humiliation. Libre à toi de te faire fourrer par des Nègres, de te faire manger le sexe par des bêtes. Libre à toi d'attraper les maladies qu'ils transmettent à la bonne société. Tu peux bien choisir d'être sa pute, si ça fait ton affaire. Puisque c'est un clochard tu iras vendre ton sexe pour le faire vivre. Soit. Ne mêle pas Marie-France à ta combine. Nous souffrons trop de la terreur des Nègres vendeurs de drogues et qui pratiquent la traite des Blanches pour accepter que Marie-France soit complice de ta déchéance!

Carmen s'empare du téléphone.

— Vas-y donc, crie Pierre. Les policiers de la ville sont très intelligents; ils les connaissent bien tes Nègres. Ça pue. Ce n'est pas pour rien qu'ils les descendent, telles des charognes. Vas! Appelle-les. Et toi, salope, entre dans ton appartement?

— Il faudrait passer sur mon cadavre! lâche Marie-France.

— J'aurais dû le deviner, réplique Pierre. Seigneur que je suis bête! Écoute, Marie-France, ce n'est pas ton affaire. Tu comprends? La vie de ma famille est bouleversée à cause de ces Nègres. Il ne sortira pas vivant de l'immeuble. Je te le promets. Pour un oui, pour un non, ces Nègres trouvent partout des gens qui prennent leur défense même quand ils assassinent nos jeunes filles, même quand ils intimident nos journalistes, même quand ils envahissent nos rues en faisant croire à notre peuple qu'ils luttent pour la démocratie. Les têtes brûlées, celles qui sont à gauche de nos chemins les prennent au sérieux. Ils sont partout et gare à ceux qui critiquent leurs coutumes. Seigneur, que nous sommes lâches! Celui-ci doit partir, et tout de suite.

Marie-France ne bouge pas de son coin. Au lieu de réagir avec violence aux propos de Pierre, elle cherche un moyen d'apaiser sa rage. Au fond, comment condamner le comportement de l'homme après la tragédie de sa famille. Une nièce correcte, disparue un soir, retrouvée quelque temps après sous les pattes d'un groupe de Noirs, droguée, au service des proxénètes. Non. Il n'y a pas de circonstances atténuantes pour les responsables de la dépression nerveuse du père de la famille comme de la dégringolade de la mère. C'est ce qui explique la répulsion de Pierre à la vue de Jacques chez Carmen. Ramassant son courage, elle prend Pierre par la main.

— Ça ne sert à rien de t'emporter. Celui-ci n'a rien d'un criminel, dit-elle à Jacques en l'emmenant dans la chambre à coucher.

— Merde! Toujours les mêmes excuses. On les a reçus chez nous. On leur a donné du travail. Ils habitent les plus beaux quartiers de la ville. En guise de récompense, c'est la traite des Blanches. Ça trouve des imbéciles pour justifier leurs crimes. Merde! Après ça, on nous traite de racistes. Les racistes, bon Dieu, c'est bien eux! Autrement, ils nous remercieraient pour notre hospitalité. Les racistes, bon Dieu, c'est bien eux qui refusent de partager, avec nous, nos projets sociaux, qui dressent contre nous tous les Blancs du monde, sous prétexte que nous sommes les exterminateurs des peuples. Les racistes, c'est bien ces Nègres qui ne veulent rien apprendre de nous mais qui nous demandent de nous agenouiller devant leurs dieux et leurs poupées envoûtées.

Marie-France garde un long silence. On voit qu'elle a les larmes aux yeux. Elle passe la main sur le visage de Pierre, pour l'amadouer, pour l'amener à voir les choses d'une autre façon. L'homme semble reprendre son sang-froid.

— J'aurais aimé que tu viennes quand je t'ai appelé. Je suis persuadé que...

— Que tu aurais été touché par la situation?

— Oui, sans doute. Merde de merde! Qui est-il? A-t-on appris quelque chose sur lui, de lui...

— Absolument rien. Seule l'annonce à la radio.

— Ah Seigneur! J'ai raison. Un criminel sûrement. Que vous êtes naïves; malgré la révolution, vous demeurez toujours des sœurs grises. Moi je suis assez lucide pour faire la différence entre Nègres et Noirs. Non, je ne peux pas mettre dans le même panier des Noirs professionnels qui nous soignent, nous éduquent, nous distraient à la télévision et au théâtre. Ce serait commettre un grave péché de ne pas reconnaître les Noirs intelligents qui sont nos partenaires et qui nous respectent. Mais le gouvernement a déversé sur notre pays des malpropres qui, comme des cannibales, ont incendié un édifice où se réunissaient des Noirs intelligents. Il fallait les voir avec leurs couteaux, les cymbales, leur tambour sur le trottoir. Nul doute. Celui-ci est un criminel...

— Non, Pierre. Il n'a pas le profil d'un criminel, à la manière dont il parle. Je l'ai écouté. Il est impossible de le suivre, il dit des choses sans queue ni tête.

— Raison de plus de le chasser. Je m'en charge.

— Attends un peu, dit Marie-France. Peut-être a-t-il perdu la tête par la faute des autres?

— Et Carmen dans tout ça?

— Complètement chavirée. Elle ne se rend pas compte de la folie du monsieur. Elle lui parle comme elle le ferait à un être normal. De toute façon, elle paraît très affectée par l'état de l'étranger. On dirait même qu'elle cherche à s'identifier à lui, bien qu'elle lutte contre l'idée d'un attachement.

— Ça ne m'étonne pas. Cette espèce d'idéaliste met toujours les pieds dans la boue en jouant à la mama et à la sœur Térésa. Allons-y.

— Attention! prévient Marie-France.

— Quoi? Devrais-je avoir peur d'un clochard malingreux?

— La vérité, dit Marie-France, c'est qu'il s'agit d'un évadé d'un centre hospitalier.

— Bon Dieu! que j'avais raison. Je sentais que ça puait, que c'était bien une bête sauvage, non un homme civilisé. Décidément le pays devient un territoire de Nègres maquereaux, de proxénètes, de nègres fous, de clochards, de paresseux. J'entends d'ici leurs groupes de gueulards, genre Gilbert de la Centrale. Ils sont tous là par notre faute, par notre incapacité à les intégrer à notre société.

— J'ai peur, poursuit Marie-France. J'ai l'impression qu'il va foncer sur quelqu'un. Vois-tu, il ne pourra pas garder son sang-froid. En le présentant tel un fou dangereux, je ne pense pas que l'établissement ait exagéré. En tout cas, il me donne le sentiment d'un homme qui a beaucoup souffert.

— S'il te plaît! lance Pierre. J'ai souffert, moi aussi. Et j'en ai mangé de la vache enragée; ce n'était pas drôle la vie qu'on menait à Ville-sur-mer avec un père paralysé, une mère à demi folle, une famille qui nous méprisait à cause de notre pauvreté. Je ne me suis pas présenté, moi, à la télévision pour implorer la pitié des journalistes en me faisant passer pour un exilé politique ou pour un clochard. Oui, c'est en vous bourrant de mensonges qu'ils prennent notre place. Combien de jeunes gens de ma génération ont aussi souffert, mais ils se sont retroussé les manches et les voilà aujourd'hui à la tête de notre société. Oui, j'ai connu une enfance et une jeunesse miséreuses. Et j'ai beaucoup souffert.

— Pas de la même manière, intervient Marie-France. À ta place, je prendrais des précautions.

— Penses-tu vraiment que ce Nègre a gagné la sympathie de Carmen?

— Oui, je le crains. D'accord, tu la connais, le cœur sur la main. Plus tu es pauvre, plus tu l'émeus, plus tu souffres, plus tu lui fais perdre la tête. Je ne l'ai jamais vue aussi affolée à la vue de quelqu'un. Au début, je pensais que c'était par exotisme, par cette espèce de pitié camouflée envers les Noirs, qu'elle avait tenté de réanimer ce moribond. Cependant, à mesure qu'il reprenait connaissance, qu'un dialogue s'est établi entre eux, elle est devenue ce genre de personne déchirée par un profond sentiment d'identification à l'autre, par la peur de perdre la tête devant un inconnu. Tiens. Tout à l'heure, elle a même monté la voix. Remarque que je ne veux rien exagérer. Tout ce que je peux dire, c'est que l'étranger a certainement réveillé en elle quelque chose de profond.

— La pitié, quoi! Ils s'arrangent toujours ces Nègres pour attirer votre pitié! Pourquoi faut-il tomber dans leurs pièges? Qu'ils crèvent, merde! Je m'en fous. Ça fera moins de mendiants, moins d'assistés sociaux, moins de fous. Tu la connais, toi. Dis-lui qu'elle expose sa santé en compagnie d'une telle loque. Pourquoi ne lance-t-elle pas une campagne pour que nos politiciens respectent la liberté d'expression des hommes intelligents à la peau noire? Pourquoi faut-il perdre la tête devant les cris étouffés des Nègres qui ne connaissent même pas le nom de votre Premier ministre! Je veux bien donner la main de ma sœur à un homme à la peau noire qui vit de son travail et qui s'intègre aux valeurs de ma société, mais pas aux loques qui n'ont pas eu le courage de se démarquer des criminels du continent.

— Nous ne rejetons pas tous les autres, et surtout pas Carmen, dit Marie-France à Pierre. J'ai peur que son sens de la justice ne l'amène à oublier nos valeurs. Oui. C'est à cause de ces valeurs qu'elle se sent si profondément touchée par cet homme.

Marie-France passe au salon, suivie de Pierre. Carmen garde la tête baissée, prête à intervenir au cas où Jacques décide de répondre aux propos insultants de Pierre. Qu'à cela ne tienne! Il paraît soulagé, le sourire aux lèvres. On le voit se lever pour serrer la main de Pierre.

— Je ne vous connais pas, laisse-t-il tomber avec une pointe d'ironie.

Jacques s'appuie contre le piano. On le voit serrer les poings. Tremblent ses jambes. Il esquive le regard de Carmen. Pierre continue de le piquer en lui disant qu'il valait mieux crever dans le couloir plutôt que de venir troubler la paix d'une femme sans défense. Jacques ne répond pas. On dirait qu'il a été complètement absent de la scène qui vient d'opposer Pierre à Marie-France, qu'il n'a rien entendu des envolées de ce dernier. On dirait qu'il est revenu à son état comateux, dans cet espace où vogue l'âme des candidats au dernier voyage. Carmen s'attendait à une réaction musclée de sa part. Seulement, elle doit revenir à la réalité. La moindre violence du visiteur entraînerait, pour sûr, une peine sévère. Près de la table à manger, Pierre observe Jacques dont le regard se perd dans le vide. Voulant détendre l'atmosphère, Marie-France propose du café.

— Non merci, coupe Pierre. Je veux rentrer chez nous.

— Écoute, dit Carmen, je suppose que tu es venu ici pour faire quelque chose?

— Oui, tranche-t-il. Pour te libérer des griffes d'une bête capable de t'empoisonner. On m'a demandé de faire un saut chez toi. Je le sais, tu es assez intelligente pour t'occuper de tes affaires.

— Ce ne sont pas seulement mes affaires, réplique Carmen. Tout le monde est concerné. Les autres ne t'ont jamais préoccupé?

— Bien sûr. Ma mère m'a appris à respecter tout le monde, à l'exception des menteurs qui exercent des pressions sur notre société pour l'amener à donner la bénédiction à des Nègres qui, en terrorisant leur peuple, se révèlent plus racistes que les Sud-Africains.

— J'ai honte, Monsieur, dit Jacques. Madame n'est pour rien dans toute cette affaire. J'ai violé son intimité.

— Pardon, réplique Carmen. Vous n'êtes pas entré ici par effraction. J'ai entendu quelque chose cogner contre la porte. J'ai ouvert. Marie-France s'est amenée. Nous vous avons transporté à l'intérieur.

— Oui, continue Jacques. J'ai violé l'intimité de Madame. Je n'avais rien à faire ici. Au fond, je suis un lâche. J'ai toujours été un lâche. Qu'est-ce que la mort devant vos regards méprisants, votre pitié que je suis obligé d'endurer. Non. La mort n'a aucune importance. Pourtant, j'ai peur. Ma race a peur de la mort. C'est parce que nous tenons trop à la vie que nous sommes des lâches aujourd'hui. Voyez-vous, les peuples qui aiment le suicide sont de grands peuples. Les hommes qui cherchent la mort au fil des jours deviennent de grands héros. Le vent dehors devient moins violent. Ç'aurait été tellement beau de dire adieu à cette merde enfoncée sous dix pieds de neige. Non. Il faut vivre avec cette honte de tous les jours, avec cet espoir de vivre, puant de plus en plus, avec cette lâcheté d'avoir dénoncé son frère aux autorités de son pays. Je regrette, Madame.

— Si vous estimez que vous puez, dit Pierre, que tous les Nègres puent, que votre race est mourante, alors choisissez de pourrir dans un cercueil. Si vous estimez que la vie, pour vous, n'a plus de sens après avoir mouchardé au gouvernement de votre pays, alors, j'ai une bonne carabine dans la voiture. Elle fera l'affaire en une seconde. Voyez-vous! Des hommes tels que moi se foutent éperdument des hommes de votre race. D'abord, vous n'êtes pas notre problème. Ensuite, vous nous rendrez le travail plus facile puisque nous n'aurons plus la responsabilité d'engraisser les hommes de votre gouvernement avec notre argent. Oui. Je suis dur. Des Nègres de votre espèce font actuellement la traite des Blanches dans mon pays. Comprenez-vous ça? Vous avez démembré ma famille en rendant ma cousine esclave de vos proxénètes. Elle est devenue droguée, prostituée. Écoutez! Je connais bien votre pays. On retrouve des fous à tous les coins de rue. Je n'ai aucune autorité pour vous faire la morale. D'ailleurs, je n'aime pas la morale. Alors, voici ma solution. Allez foutre le feu dans les quartiers où puent les Nègres. Décapitez-vous pour faire de la place à des Noirs supérieurs! Eh bien, que décidez-vous?

— Oui. Que décidez-vous? demande Carmen à Jacques qui baisse la tête. Que décidez-vous après des propos si outrageants qui vous réduisent en bête, en sous-produit de l'humanité? Que décidez-vous après avoir entendu un type pareil qui, j'en suis sûr, n'a pas le dixième de votre formation, cracher sur vous, insulter votre race? Que décidez-vous? D'habiter l'espace, de vous arracher la langue en tant que geste symbolique de votre rédemption, de faire des marches forcées, de vous perdre dans une tempête de neige pour aboutir à ma porte. Oui. Faites-nous part de votre décision. Aucun procès ne vous sera fait.

— Je suis un assassin, dit Jacques, en frappant à coups de poing le piano.

— L'avez-vous tué froidement? demande Pierre. L'avez-vous étranglé? Ainsi, avec vos doigts de Nègre puant?

— Non, non, répond Jacques. Pas ainsi.

— Alors, comment? poursuit Pierre. Était-il innocent? Était-il complice de sa mort? Avait-il dans sa chemise, un livre de poésie, un crucifix? Était-il un mauvais coucheur, un drogué, un savant? Alors, dites-nous. Comment l'avez-vous tué?

— Je ne sais pas, répond Jacques.

— Oui. Vous le savez, insiste Pierre. Parce que vous êtes un assassin, vous, le Nègre. Vous entendez! Un assassin.

— Je suis un assassin, répond Jacques. Cependant, je n'ai pas voulu le tuer. Il est responsable de sa mort. Il n'aurait pas dû fouiller dans ma cervelle pour y chercher les microbes qui causent mon déraillement.

— Ah, c'est ça, dit Pierre! Il a flanqué une grue dans votre cervelle?

— Oui.

— De la même façon que dans une mine?

— Oui.

— Combien de temps a duré cette opération?

— Assez de temps, répond Jacques, pour me rendre compte que j'étais une chose, un légume, que je tolérais une camisole de force sans un cri, sans un mot de protestation...

— Après? demande Pierre.

— Après?

— Oui, après qu'il a trifouillé votre cervelle?

— Il m'a jeté dans une poubelle, non, dans une latrine. Je m'y débattais, nu, tel un ver. Je me rappelle maintenant. Les patients s'étaient rangés des deux côtés de la barricade. Des chiens aboyaient. Des vautours faisaient la ronde autour de mon corps. Il y avait aussi les gros Blancs, vous savez, les présidents de sociétés. Tout ce monde-là criait en me voyant patauger dans la merde.

— Personne, enchaîne Pierre, n'a mangé la merde avec vous?

— Personne, répond Jacques. Même pas ma mère. Elle m'a tourné le dos. Les poètes aussi m'ont donné des coups de pied à la tête.

— Alors?

— C'est à ce moment-là que les gardes ont sonné l'alarme. Alors, sous la force de mes doigts.

— De Nègre?

— Oui. Sous la force de mes doigts de général commençait le supplice. Mes yeux dévoraient la langue qui sortait de sa bouche. Ses yeux pissaient du sang. Oui. Ils pissaient du sang, pour tous les porteurs de camisole, les prisonniers décapités. Ils pissaient du sang pour un peuple de mendiants qui expédie ses lépreux ainsi que ses affamés aux quatre coins de la terre. Ils pissaient du sang pour ceux qui sont sans voix, les rescapés de l'ombre qui dorment dans la boue avec des rats dans le ventre, de la vermine dans les oreilles, oui, pour tous les enfants malingreux, les femmes qui baignent dans la merde à l'hôpital, faute de drap. Ils pissaient du sang. Oh! ma tête éclate.

— Ce n'est pas tout, dit Pierre.

— Non. Ce n'est pas tout, répond Jacques.

— Alors?

— Alors, dit Jacques, quand on a sonné l'alarme, à ce moment-là j'ai lâché ma proie. Les pensionnaires applaudissaient à mon comportement de général qui venait de réaliser ce que nul n'avait osé faire: l'étranglement d'un producteur de camisoles de force. Alors, l'un de mes camarades blancs m'a dit: «Sauve-toi, le Nègre.» J'ai escaladé le mur...

— Personne ne vous a poursuivi?

— Personne.

— Vous en êtes sûr?

— Tout à fait sûr.

— Pas même l'ombre de votre victime?

— Pas même l'ombre de ma victime.

— Pas même le cri des pensionnaires?

— Ah, ça non, réplique Jacques. J'étais, si vous voulez, flottant dans l'espace, hors du temps, libre, pour la première fois de ma vie. Il n'y avait que les cris étouffés de ma victime dans ma tête.

— Alors?

— Alors, quoi? demande Jacques rêveur.

— C'est fini votre histoire? demande Pierre.

— Non, Monsieur. Elle vient de commencer. Je suis au second acte. Je dois me venger de tout, de ma naissance, de mon enfance, des préjugés bourgeois de ma ville natale, des négresses qui se foutaient de ma gueule à cause de mes pantalons troués! Oui. C'est ça. Assassiner d'autres bourreaux, d'autres races malpropres, gonfler, oui gonfler, pour prendre la dimension d'un village, d'un pays, d'un continent. Je le tuerais encore s'il fallait recommencer. Alors, me comprenez-vous?

— Non, assassin, tranche Pierre, je ne vous comprends pas. La barbarie me fait vomir.

— Ma question est mal posée, dit Jacques. Vous me voyez, n'est-ce pas! Vous m'écoutez, n'est-ce pas! Vous êtes Blanc. Je suis Noir. Vous êtes du Nord, moi du Sud. Vous êtes chez vous, ici. Moi, je suis..

— Quoi? demande Pierre.

— Un menteur, répond Jacques. Un fabriquant d'histoires à dormir debout.

Pierre veut prendre Jacques par la peau du cou.

— Je te l'interdis, Pierre, crie Carmen

— Et pourtant c'est un menteur, crache Pierre. C'est un menteur. Il vous a menti. Dites donc la vérité aux femmes, oui, la vérité. Vous êtes trop lâche pour étrangler un bourreau. Vous êtes le rejeton d'une famille impure.

— Je t'en supplie, crie Carmen.

— Oui, poursuit Pierre, d'une famille qui n'a pas le sens de l'honneur. Au fond, vous êtes bien à l'aise dans un centre pour fous dangereux. Il n'y en a pas comme ça dans votre pays.

— Vas-tu la fermer? hurle Carmen.

— Est-ce que je peux, bon Dieu! lui dire la vérité?

— Quelle vérité? dit Carmen. Celle d'un Blanc qui mange bien, qui vit bien, sans autre souci que celui de vivre aux crochets de son amie?

— Oui, lâche Pierre.

— Alors, répond Carmen, tu ne comprends rien à la souffrance humaine.

— Rien, bien sûr, répond Pierre. Je ne l'ai pas inventée, cette souffrance. Je comprends une chose: nous sommes en train de tuer des hommes, tels que lui avec notre compassion de chrétiens. Battez-vous,

Monsieur. On se fout de votre gueule en divisant le monde en bons, les Nègres de votre espèce, en méchants, les Blancs ainsi que les têtes folles dans les universités qui parlent en votre nom. Battez-vous, Monsieur!

Jacques éclate en sanglots. Pierre le prend par l'épaule.

— Assassin, malade, philosophe, poète, je m'en fous! Chose certaine, les Nègres sont en train de pervertir ma famille. Il fut un temps où j'avais une admiration sans bornes pour tous les hommes à la peau noire qui nous apportaient la science, la littérature et la philosophie. Heureusement, cette admiration n'a pas disparu. Mais je trouve dommage de voir des Nègres s'entre-déchirer au nord de la ville. Dites à ces Nègres de respecter les règles du jeu. Alors, nous serons de très bons amis. Je vous le promets, foi de Blanc.

Pierre et les femmes se retirent dans la chambre à coucher, laissant Jacques au salon. Il continue de sangloter.

— T'es content de toi? dit Carmen à Pierre.

— Il ne lui a fait aucun mal, soutient Marie-France.

— Oui, réplique Carmen. Il lui a fait du mal.

— Comment?

— Tu l'as agressé, dit Carmen à Pierre.

— Et pas toi?

— Non, répond Carmen.

— Alors, qu'est-ce que l'agression pour toi?

— Je lui ai fait part de certaines de mes contradictions, répond Carmen.

— Je ne suis pas allé aussi loin que toi, prétend Pierre.

— Tu as eu tort.

— Je ne crois pas.

— Cet homme, réplique Pierre, n'est pas un enfant. C'est ça le racisme, cette espèce de manie à prendre les Nègres pour des enfants au sourire d'ange, aux bonnes manières, pour les victimes des Blancs, de tout ce que les Blancs peuvent créer sur cette terre. J'en ai marre, moi aussi, des fléaux qui les détruisent. Qui pleure maintenant sur le sort de nos filles qu'ils réduisent en esclaves, qu'ils battent, qu'ils tuent, qu'ils maltraitent? Oui, bon Dieu! Vos chers Nègres, savez-vous la merde qu'ils nous font manger? Même la police en a peur. D'accord! Il a eu des problèmes dans son pays. Et après? Le soleil se lève toujours du même côté dans le ciel, bon sang! Vous êtes toutes là à pleurnicher sur leur sort, à les empêcher justement de trouver en eux les ressources nécessaires à la réussite dans un milieu tel que le nôtre. Vous ne vous rendez pas compte du mal que vous leur faites.

— Ce n'est pas une raison pour l'insulter, insiste Carmen.

— Il est temps, dit Pierre, que ces Nègres brisent le cercle où ils crèvent. C'est ça la vie, non!

On revient au salon. La tête dans les mains, Jacques continue de sangloter, en cris plus étouffés. Long silence. On boit du café. La tempête se calme. Jacques se lève maintenant. Il va au piano, chante une berceuse de son pays.

— Quel affreux cauchemar, dit-il. Dans un jour, dans un mois, je m'effacerai de votre mémoire telle une mauvaise pensée rebelle à la conscience. Plus de camisole, plus de glaires dans la gorge. Tout simplement un homme à l'image de ceux qu'aura produits la matière dans sa première explosion. Si vous me demandiez à quoi sert le cauchemar, je vous répondrais qu'il nourrit nos incohérences tout en nous procurant des forces que même des diables ne sauraient juguler.

— Vous partez? demande Carmen à Jacques.

— Oui, répond-il. Au pied de l'escalier, ça fait déjà très longtemps, je n'ai pu résister à la force de votre image. Heureusement, elle m'a envahi avec toutes mes folies, toute ma savane désolée.

— Vous tremblez encore. Attendez un peu.

— Merci à vous deux, dit Jacques. Adieu.

— Non. Pas adieu, lance Carmen. Au revoir. Serrez mes mains. Plus fort. Encore plus fort. Vous reviendrez, n'est-ce pas?

— Oui, Madame.

— Oui, Carmen.

— Oui, Carmen. Jacques reviendra. Un peu moins pouilleux, dans le même quartier, dans la même tempête de neige.

Cet ouvrage
publié par Les Éditions balzac inc.
a été achevé d'imprimer
le 10ᵉ jour d'avril
de l'an Deux mille un
sur les presses de
Marc Veilleux inc.
Boucherville, Québec